U0000424

要決心忘記
我便記不起

 enlighten & fish 亮光文化

鄭梓靈 |台版序|

　　成長的那段歲月，我讀台版書，聽台灣的流行曲，看台灣的 MV，喜歡那種唯美的氣質，深受感動。

　　與情感有關的認知想像與畫面構成，似乎都與台灣密不可分。

　　這次出版台灣版，仿似一次緣份回歸。

　　這本書要選取林夕的歌詞時，很自然地選用了幾首國語歌，另外一些則基於故事想要表達的主題和延伸性的考量，選用了廣東版歌詞，我想台灣的讀者也不會感覺陌生，因為情感和音樂本來就是人類共通的語言。

　　也許，當音樂前奏響起的一刻，我們已經投進自己的感情，在腦裡重播著自己鍾愛的幾句旋律也說不定。

可幸的是，時間賦予了我們安全的距離，一首歌、一個故事、一句對白，不再因為勾連著過去而讓我們急於迴避，心竟然不需要忘記，也可以不再覺得疼痛，甚至依稀有點懷念。

舊感覺逆襲，原來是一種幸福。

林夕 ｜台版序｜

　　情歌寫完了，就有人會唱，有人在聽，情歌聽唱完了，情緒就釋放了。

　　情感得到療癒或發洩或沉澱，也不過是幾分鐘的事情，而小說故事，發展下去還長著。

　　寫情歌的人，讓發生過的事、有過的關係、洶湧過的情緒、沉澱了的體驗，都是感情的果實。

　　然後，放在心裡一台攪拌機，滴溜出來已經如粉塵，根據需要鋪陳在適合的旋律裡。

　　所以說，佈景道具氣氛都可以是假的，只有感情是真的，有些是當下的爆發，有些從裝醒中醒來、有些是昇華了的體悟，無法，就把自己從高處回到地上，再從谷底描述登頂的過程。

所以說，短短一二三百字的內容，每個人都有不同感想，萃取各自所需的心血，進一步演化成真作假時假亦真的小說，實在是個很有意思的事。

　　這次已經是第三次從我的歌詞化成故事的文字魔術演出，被選上的歌詞比較多廣東歌，但是我深信有情又有智慧的台灣朋友，一定會讀得懂的。

　　事實上，看著鄭梓靈創作的故事，石沉大海的感覺又重新浮起來，心動之餘，手也癢癢的，想著，有一天也把自己的歌詞延伸成小說故事。

你 記 得 的 是 你 的

感 情 經 驗
剛 好 都 來 自
這 個 人

但 你 不 記 得

他

你
只 是 忘 不 了 他 的 愛
你 其 實 並 不 記 得
他 這 個 人

從此
我們的心不可能
再完整

鄭梓靈　|港版序|

　　曾經跟戀人在他的車裡爭論，我說我聽歌總是將喜歡的歌反覆聽上幾百次，而他最愛按隨機去聽；我會默默地在心裡想著歌詞幻想一幕又一幕的畫面，而他則會不顧誰在車廂裡也會奔放地大聲跟著唱。

　　當時車廂裡播著的是〈約定〉，歌唱到「要決心忘記我便記不起」的時候，我們屏息，停止了爭論。

　　「那就是我跟你不同的地方。」我說。「我們是完全相反的兩個人。」

　　這段戀情後來的結束，讓我明白什麼是心碎。

　　每個人聽歌的方式都不一樣，正如每段愛情令人心碎的方式都不一樣，療癒創傷的方式也不一樣。

　　有人選擇用力記住，正如我訴諸於故事，更多的人選擇忘記，可是正如林夕在隨筆裡寫過：「努力去遺忘，恐怕一用力，就越忘越記。」

在城市裡，有時望望每一個行色匆匆的人，我心裡會升起一個疑問：你們都在努力忘記什麼嗎？

用忙碌去忘記那些仍然影響著自己的人，用燃燒自己去忘記那些仍冷得令人顫抖的結束。

人生只有一次，我們獻出生命最好的年華和某人相愛，結束時失去的何止愛情，而是生命的一部份，心頭的一塊肉，我們的人生、我們的心，不可能再完整。

那些缺口需要用文字、用音樂去填滿，即使是沒有形體的東西，即使只是一時的慰藉，卻實實在在地拯救了無數失去力氣的心靈。

最終可能真的「什麼都不算什麼」，執著與否、如何反覆更改事情的意義，結果都是一樣，但有幾人一開始能明白這句話的意境？明白了，又是否做到？心是這麼想，行動力往往是另一個問題。

人可以掌握的東西說到底是何其的少，沒有記憶，也許我們什麼都不是。與記憶切割，感覺自己是行屍走肉。要奪走記憶，比從未曾有記憶更殘酷，生命的無意義也許比心碎更可怕。

林夕的歌詞總是充滿了都會感的詩意，讓我們每個人的情感經歷變得特別，那些害怕刺痛而不敢回首直視的片段，也因為詩意而變得可以承受了。

聽著歌詞的時候，最打動我的，是他筆下的癡情的極致，和那些來不及發生、從未能擁有的「無」——如果那一年我們沒有分手，如果當初把該說的話好好說了，後來的我們會變成怎樣？那些「無」構成了充塞我們心窩無法割捨的「情」。

要決心忘記
我便記不起

林夕 ｜港版序｜

　　18 首歌詞，有感悟有感想有情節有情緒，由鄭梓靈衍生出 18 個有人有物的愛情故事。從歌詞如何變小說，我想，在鄭梓靈腦海裡聯繫著的那根線，大概亦曖昧如戀人關係。於是，除了一首序詩，我又在故事之後，補上 18 段介乎歌詞與詩之間的短句，堪稱「情詩十九首」。這次與鄭梓靈的四手聯彈的文體交集，真有點如一場感情接龍，好像還可以任由讀者繼續以不同形式接下去。

　　那麼，就開始吧。

關於忘記，最耐人尋味的是，忘記拆開來可以是忘了要記，記住，要忘記。人心構造特殊，忘記只能若無其事，要動用決心忘記，保證越記得起。而對於一個人，我們記得的往往只是那人的聲色香味觸覺，忘不了的只是那個人的殼，他是怎樣一個人，不但沒那麼好記，很想記起來的時候，才會問：我為什麼會記得這些，又忘記了什麼？還有什麼是談不上忘與記，無從選擇的？

但你不記得

他

你

只是忘不了他的愛

你其實並不記得

他這個人

你只能記得

他能給你的

其他

你要不來的

一概與你無關的

你無從記起

亦沒資格忘記

序詩

記得他哄你時的語氣

忘了講話的內容

記得他常用的表情符號

忘了交往時你手機的型號

記得那次那頓飯吃了什麼

忘了那餐廳的名字

記得他一回頭掠過的影像

記得他一句話帶來的音效

你記得的是你的

感情經驗
剛好都來自
這個人

content ＿＿＿＿_

或 許，只 是 或 許，
你 還 是 不 願 忘 記 那 感 情 當 中 的 美 好

也 許 是 對 方 的 溫 柔，

也 許 是 那 個 仍 然 相 信 愛 情 的 自 己

track 01 ——_ 春秋

原唱／張敬軒
作詞／林夕　作曲／Edmond Tsang

那夜誰將酒喝掉　因此我講得多了
然後你搖著我手拒絕我　動人像友情深了
我沒權終止見面　只因你友善依然
仍用接近甜蜜那種字眼通電
沒人應該　怨地怨天
得到這結局　難道怪罪神沒有更偽善的祝福

我沒有為你傷春悲秋不配有憾事
你沒有共我踏過萬里不夠劇情延續故事
頭髮未染霜　著涼亦錯在我幼稚　應快活像個天使

有沒有運氣再扮弱者　玩失意
有沒有道理為你落髮必須得到世人同意
心灰得極可恥　心傷得無新意
那一線眼淚　欠大志

愛若能堪稱偉大　再難捱照樣開懷
如今你發現為你而活到失敗
令人不安　我品性壞

我沒有為你傷春悲秋不配有憾事
你沒有共我踏過萬里不夠劇情延續故事
頭髮未染霜　著涼亦錯在我幼稚　應快活像個天使

有沒有運氣再扮弱者　玩失意
有沒有道理為你落髮必須得到世人同意
心灰得極可恥　心傷得無新意
那一線眼淚　欠大志　太沒意思

若自覺這叫痛苦未免過份容易

我沒有被你改寫一生怎配有心事
我沒有被你害過恨過寫成情史　變廢紙
春秋只轉載要事　如果愛你欠意義
這眼淚　無從安置

我沒有運氣放大自私的失意
更沒有道理在這日你得到真愛製造恨意
想心酸　還可以　想心底　留根刺
至少要見面上萬次

| 01

「Vivien，你喜歡看車尾燈還是車頭燈？」那一夜，他拿著一瓶啤酒在通往灣仔會展的天橋上問我。

通往銅鑼灣方向的告士打道四線馬路上，塞滿了夜晚趕著回家的車流。

「看著車尾燈，好像全世界都遺落了自己一個，雖然很孤單，不過，一生中總有些時候，想感受一下這種孤單的滋味，看著車尾燈一閃一閃，我覺得比天上的星星更好看，有更多故事，看著看著，就覺得自己的煩惱很渺小。」

他逕自說著，他是一個感性的人，但表露的時間卻是出奇地少，應該算是外冷內熱的那種人吧！我只是沉默地陪著他。

很奇怪，每次他單獨約我，都是他覺得孤獨的時候，我不知道自己的存在對他來說是什麼，是太自然還是太可有可無？

　　反正，只要他晚上十點過後打電話給我，就算我已經上床睡了，還是會立即撲出來赴約。所以那個 BB 霜一直擺在床頭，可以隨時出門的手袋、配好的衣服也是睡前收拾好，這些小細節不知不覺間已經成了我的習慣。

　　只是，沒注意到今天夜晚開始刮風，我疊起兩臂抱著自己。

　　他好像要給我溫暖，忽然摟著我的肩，笑笑問：「你記不記得，我們認識多少年了？」

　　「十年了？呀不，我們高中開始同班，有十二年了。」

　　「真恐怖，十二年，好長，再一個十二年，不知我們會變成怎樣？」

「應該還是這樣子吧。」我笑笑。

風很大，我的頭髮飛揚，黏在我的臉上，戳住我的眼睛，他伸手幫我將頭髮撥開，然後像是極其自然的接續動作，他輕輕吻上我的唇。

其實我已想像過這畫面無數次，但到真的發生時還是不能置信，心跳興奮卻又有點悲哀的感覺，因為一生中總有一些夜晚會讓人做出清醒時絕不會做的事，今夜就是這樣的夜晚。

「Vivien，我一直很想謝謝你。」

「我什麼都沒做。」

「你不知道嗎？只要你在身旁，對我就是安慰。」

那一晚，他牽著我的手，在這個城市裡漫遊。

不捨得回家，因為我知道他多少有點醉。

不清楚明日會如何，但這晚已是我夢想多年的結果。

有時我會想，如果人生就在那一晚結束，多幸福。

至少那一晚，我們吻過、擁抱過、牽手過，我們成為了一對，我的愛情沒有白費。

． ． ．

第二天的下午，我想他可能睡醒了吧，他發了聲音簡訊給
我。

「昨天的事，很對不起。」他說。

這並不是我一夜無眠等待的留言，我咬著牙，聽下去。

「不是我不喜歡你，只是，我不想破壞了我們這麼多年的
友情，所以，就回到本來那樣好嗎？」

我的淚從臉頰滾落腮邊，他的「好嗎」是那樣溫柔，我卻
從來沒得選擇。

我到底有幸成為他的前女友嗎？我到五年後的今天仍然搞
不清楚。

． ． ．

「Vivien，找到你實在太好了！我想到能交託重任的只有你
了！」

五年後我已經成為公司的主管，薪水往上漲了不少，但天
天加班，根本沒有時間花錢，也仍然沒有男朋友，他打電話給我
的時候已經十二點了，我還在公司趕一份報告書。

「有什麼任務呢？」唯一的差別，是現在的我，面對他比
較懂得開玩笑，也不再覺得他是那麼遙遠的存在。

也許是因為覺得算是得到過吧，而且，那次之後，他對我更加好，語氣總好像對我有所虧欠。我發現，這樣我已經很滿足了。

　　這些年，他一直都有交女朋友，但同時又跟一個叫 Vivian 的女孩離離合合，對，就是跟我的英文名字差一個字母。有時候我會懷疑，那一晚，他是否把我當成了別人。

　　關於她的事，他說得很少，只是有兩三次，他提過又跟她分開了，或者，又跟她一起了。我一直不認為他們會有什麼結果，最近一年，我也為了工作而忙，我們的生命像兩條錯開的線，我有時甚至會忙到以為自己已不再喜歡他了，直至三個月前，他對我說，已向 Vivian 求婚，她答應了。

　　「我和她拉拉扯扯了很久，她許多次令我心碎，我真的以為自己不可能再愛了，跟其他人開始，都是為了測試自己還能再愛嗎？每次只要再跟她一起，我才能明確地回答自己，如果是她，我可以。」他孩子氣地笑著說，原來他是那樣想，跟我開始的一段也只是其中一次嘗試吧！但他好像沒想過我會不開心，還放聲大叫：「我現在真的超興奮，我聽說結婚只有女人興奮，根本不是嘛！」我從沒聽過他那麼高興，大學放榜那天沒有，考入大公司那天也沒有，到那一刻我才明白，他真的好喜歡她，喜歡到不敢在人前多說，直至他終於肯定，那個女人將會屬於他。

　　「記得明天是什麼日子嗎？」電話上，他問我。

「怎會忘了，我跟老闆發飆，說明天好朋友結婚，不放我假，我就不幹了。」

「現在你已經這麼有能耐了？」他感慨地說：「我也太感動了。」

「新郎官今天不是該跟兄弟們玩嗎？為什麼想起我呢？」

「是這樣的，明天我有兩個前女友都來，因為她們的男友都是工作上認識的人，聽說，她們一定要來，其中一人是 Silvia，你也認識的，性格很火爆的一位，分手時，還鬧得上了警察局，你記得嗎？」

我沉默著，關於他的事情，只要他願意告訴我，我全都記得。

只是……

「你可不可以別讓她碰到 Karen，當時我是因為 Karen 和她分開，雖然把她們的座位編得很遠，但就是怕有什麼意外。」

我一時愣住，心想為什麼是我呢？

原來他根本沒把我算作前女友，因為太短暫了吧？

還是因為我人太好？但其實我人不好，我只對他好。

原來身為前女友有資格衝突，身為前度，就算在他結婚的大日子，也讓他上心在意，我真羨慕她們。

那一晚的幸福，是我一直以來奮鬥的力量來源，讓我記得付出的不會白費，雖然很短暫，但我需要知道它是真實的，難道不是嗎？

「應該不會有什麼事吧？」

「我實在不想出任何亂子，那樣 Vivian 會很不開心的。」

有一剎那我以為他說的是我。

如今那個任性的他，這麼懂得保護自己的未婚妻了。

「只是，我跟 Silvia 不過在大學裡修過同一門國文課，根本就沒什麼共同話題。」

「你行的。」

「我試試吧。」我只能啞聲說。

● ● ●

他完全是過慮了，我拿著香檳杯，不時留意 Silvia，她對 Karen 根本沒有興趣，只是不停地跟男朋友表現親熱，明顯是來放閃給他看的。

得不到你給的幸福，至少也給你看看我的幸福——為什麼我就做不到呢？我的行動力，都沒花在愛情上。關於愛情，我總是太被動了。

但安排了我跟 Silvia 一起坐，席上的位置離舞台好遠，我的其他中學同學都不在這一席，我更寂寞，不過這樣也好，我不用在相熟的人前強顏歡笑，可以留心地聆聽他在台上的新郎感言。

「我和 Vivian 一起，經歷了很多事，走到今天真的不容易。」他說時回頭望了新娘子一眼，新娘子點點頭，甜蜜地一笑，誰想到她把這個男人折磨得這麼厲害呢？他牽起她的手，我想到他曾牽起我的手，原來當他真愛一個人，是那樣地十指緊扣，他續道：「我還有很多事情想跟她一起做，一起希冀，一起面對失敗，一起振作，當想到這裡，就知道這輩子已找到該找的人了。」

大家都在熱烈拍掌，我回頭望去，個性剛烈的 Silvia 此刻也在默默垂淚。

如我想哭，又以怎樣的身份哭呢？

沒有資格懷緬的痛，說出來也沒有人了解。

或許由始至終，我想要的，就是拉扯，我欠的，就是資格。

最後能讓你牽掛的，只會是那個讓你曾經懷疑自己不可能再愛的人，而不是那個遷就你每個決定的人。

或者當初更死纏爛打一點，你才會明白我有多愛你。我不應該什麼都由你說了算，我太聽你的話，從來不曾讓你擔心，以至我們之間，什麼都沒機會發生。

一塊豆腐般水泥剛好砸你頭上

翌日頭條

街坊要求究責

一個月後

議員提案成立調查委員會遭否決

春秋

————

轟轟烈烈的

你在街頭尋思著要殉情

track 02 ——_ 金 剛 圈

原唱／**麥浚龍**
作詞／**林夕**　作曲／**雷頌德**

人　有幾多會忍受痛
有幾多次醒悟了　再發夢
輕輕拋下我　每想一次都沉重
我偏想到偏頭痛　蠢不蠢

你的金剛圈　最好箍得更緊
令我的下世　記得有過今生
來讓我命運　和你箍緊

還未捨得不痛心　怕刻骨不銘心
在記憶裡愛　不痛不真
嫌受傷得不夠深　刺青刻得更深
樂意忍　就忍到無憾
誓要你　成就我愛到不像是凡人

人　最初怎去享受愛
最終怎會執迷到　變有害
相見是意外　見不到才是應該
我本可以分得開　看得開

你那金剛圈　縱箍到這麼緊
但放鬆的手　令戒指也套不穩
甜蜜太飄忽　難捏得緊

還未捨得不痛心　怕刻骨不銘心
在記憶裡愛　不痛不真
嫌受傷得不夠深　刺青刻得更深
樂意忍　就忍到無憾
沒有你　仍舊有你帶不走的快感

曾想過要開竅　若我肯
但想到這裡還未捨得轉個身
太早的開了燈　望透愛終於　輕似風箏
情願金剛圈套緊　能箍碎我知覺　願意忍
受苦也榮幸　誓要你　成就我愛到不像是凡人
悟空那會相信　愛與痛　很相襯

| 02

聽說，人沒法強迫自己忘記一個人，在每一次提醒自己不該再想的一刻，其實只是將湧上腦海的記憶殘像壓下去，壓回心裡。

於是，一顆心越來越重，人的步伐也越來越沉。

我已經把你的一切反覆壓回心裡年多了，不知道是幸還是不幸，這期間要是你真的從我生命中徹底消失也罷了，偏偏你還會一再找我。

這是最甜蜜的折磨。

我是替人拍婚紗攝影的，在接近零度的山頭，我跟女拍檔Vincy 一起等待著日出，Vincy 不時要回到帳幕裡安撫抱怨多多的新娘子，手機響起，我重重地嘆了一口氣，我以為這裡一定收不到電話，以為可以逃避你，卻始終逃不掉。

　　但我硬起心腸沒有接聽。

　　Vincy 從帳幕出來，走回我身邊，戴著冷帽的她對我做了個鬼臉，靠近低聲說：「新娘子說冷啊。」

　　「她在帳幕裡還冷，難為我們呢！」我一邊說一邊搓著手。「明明是他們自己說要拍真的日出，我就說後期製作就好了嘛。」

　　說時我的手機又響起，在寂靜的山間特別響亮，我關上了鈴聲。

　　「為什麼不聽？」Vincy 聰明地想到。「又是你女友？」

　　「前女友。」我更正。「現在她是別人的女友了。」

「但她一有不開心還是找你。」

Vincy 這樣說，我竟莫名地有點開心，雖然其實是應該感到悲哀的。

有人說，一個人在脆弱的時候想起你，你對他來說就是最重要的人。

就算不是最重要的人，也是最可信的人，或者，最特別的人吧。

但我漸漸懷疑這句話了。

或者，我在你心裡，只是最順便的人，或者，對你最有耐性的人。

但不代表，你還是愛著我。

你的鈴聲終止了，我看著未接來電變成兩個，心有點痛。

「你不想知她為什麼找你？」Vincy 笑問。

想知，我當然想知，我想知她是不是和男朋友有什麼問題。

從她為他離開我那天，我就覺得那個人不外如是。

可是年多了，他們始終沒分開，或者，他的確有我看不出來的好處吧。

新娘子又在帳幕裡叫 Vincy 給她拿熱水，Vincy 聳聳肩吐了吐舌頭，走開了，彷彿給我回覆你的機會。她真的很體貼，我還猶豫什麼。

我拿起手機，傳了訊息給你。

「找我？」

「我還在公司裡，可不可以打電話給你？」

你這樣說，等於是「想聽到你的聲音」，這種撒嬌我如何拒絕，尤其是我也需要溫暖的時候。

我終於抵擋不住，打了電話給你。

「這三更半夜，你怎會還在公司呢？」我劈頭就問，一如以往。

我以前並不是婚紗攝影師，我跟你算是同行，你是珠寶公司的市場行銷，而我則是時尚精品雜誌的攝影師，所以我對你的工作相當了解。

也許是因為我對你太了解了，只能擔當安慰你、聽你訴苦的角色，卻無法像不了解你的男人一樣，給你刺激感和新意。

「Michael 反反覆覆要我修改，這次還要我剪片，人家哪會做，都沒有人幫我⋯⋯」你又開始抽抽答答地向我吐苦水，我忽然覺得這一切似曾相識。

對了，上個月你好像也那樣跟我在電話中哭訴，那天我其實約了 Vincy 去電影節，因為你向我哭著求助，我便跑去幫你解決問題去了。

我不停跟 Vincy 道歉，但她只是聳聳肩說：「大家這麼熟了，不用客氣啦，若叫你不理她，你坐在電影院裡也不會心安的。」

Vincy 真的很了解我。

但人有時就是這麼犯賤，越了解你的人，你越會恃著這份了解，去傷對方的心。

就像你對我，就像我對 Vincy，都一樣。

其實一起合作這麼久了，也有過好幾個瞬間，覺得可以跟 Vincy 開始，但你始終回來找我，我又始終沒法拋下你不管，既然還沒準備好，我就保持著和 Vincy 友好的關係，我不想連這個合作無間的工作伙伴也失去。

有時候我很佩服你，我學不懂像你這麼想做就做，想變心就變心，想找回舊人就找回舊人，你永遠不怕別人怎樣說你，我卻總有太多顧慮。

我想著這些事情的時候，你仍然在吐著沒完沒了的苦水。

以前的我，很怕你流眼淚。

以前的我，從來不知道怎樣拒絕你，即使在你對我最沒好臉色的時候，反而是分手了，你每次找我都好可憐、好脆弱，我反而渴望你找我，因為反而是在分手後才感覺到你需要我、珍惜我、知道我的好。

「其實我也在開工，日出了，我得掛了。」我忽然說。

「可是……」可以感覺到你的錯愕，我從來不會比你先掛。

掛上電話的時候，天還沒有要亮起的半點跡象。

● ● ●

下午拖著疲累的身子回到家，我餵了貓，正要上床倒頭大睡的時候，門鈴響起。

打開門，我很意外是你。

自從你搬出去後，一次都沒回來過。連最重要的東西，都是由我拿去交給你，你好像對這個家沒有半點留戀。

現在你卻紅著鼻子站在門外，我無奈地開門給你，你像回自己的家一樣走進來。

「怎麼了？我正要睡覺。」我說。

你自然地跟貓玩著，但貓不太理睬你，牠已經把你當陌生人了，於是你好像對牠有點生氣。

「臭貓咪，這麼快就忘了我啦？」你低聲罵牠。

我有點生氣。「你幹嗎罵牠，已經過了兩年了你知道嗎？」

你委屈地抿著唇望著我。

「這份工我再也待不下去了，這麼辛苦也不知為什麼……」你說出憋在心中的話：「連你也見死不救。」

「你為什麼要來跟我說這些？我也有我的生活，不能總是捧著你。」

「我以為我們還是朋友。」

這話讓我更惱。

「你為什麼不跟你男朋友訴苦去？」

你睜大眼睛看著我。

「你嫌我煩？」

「我不是嫌你煩，我只是不明白。」

以前我不敢說，是因為我怕說了，就會真真正正地失去你。

是的，我不想忘記你，於是讓不明白的繼續不明不白，讓已失去的東西繼續徘徊在身邊，好讓我知道，我在你心裡還有丁點價值，我也有比他優勝的時候。

「他不是這一行的，他不像你，跟他說也不會明白。」

那你為什麼要選擇他？

其實我想這樣說，但我忍痛說：「若你需要安慰，請找你選定了的那位。」

你拿起手袋，走得頭也不回，甚至沒有一句再見。

說出這句後，我忽然覺得頭上有什麼鬆開了。

或者不是你不放生我，是我自願被困住吧。

如果我不自願，你再怎麼纏我，也是沒用的，我很清楚，所以我其實不會真的怪你。

我不知道明天醒來，我是不是還可以那麼神氣地鐵了心不理你，我不知道明天醒來我會不會後悔今天這樣對你。我真的不知道。

我現在只想在溫暖的被窩裡睡一覺好的，即使被窩裡只有自己一人。

痛在失去了痛的勇氣

如來佛祖厲害在
放下了金剛圈
凡人卻沒有得到
免於恐懼疼痛的自由

金剛圈

怕痛才不思念的話

緊箍咒並沒有放下

想起

會想起時的痛

林夕十九首　　|第三首

原唱／王菀之
作詞／林夕　　作曲／王菀之

分得這麼開　下次要抱得緊
講得這麼多　下次要聽真
你我想手牽手欣賞那套歌劇
歌手都更改　或會更吸引

不想吵都吵了　下次留力啞忍
傷風一早好了　下次再關心
從前講好的歐洲之旅再等等
懂得怎麼等　定會更相襯

沒有足夠眼淚無謂亂愛你
我要預備　受傷的勇氣
大驚小怪只因未慣空歡喜
若我心似鐵石然後遇上你
天崩地陷　已不足為奇
明白一起不過是　無數次對不起

今天裝開心　下次會更逼真
今天想休息　下次再傷心
你我的身邊都只得你我的話
得一種身份　定會更相襯

沒有足夠眼淚無謂亂愛你
我要預備　受傷的勇氣
大驚小怪只因未慣空歡喜
若我心似鐵石然後遇上你
天崩地陷　已不足為奇
明白不敢想的不必記起

下次等我眼淚流盡又愛你
我會預備　受傷的勇氣
用這一次練習麻木扮分離
待我相信愛是承受便找你
驚天動地　再不足為奇
明白一起不過是　明白不一起也是　無數次對不起

　　自浚海考進大學，而我考不進那時候，我就猜到我們可能
會分開。

　　不過我沒有讓那小小的預感繼續茁長，我仍然像以前一樣，
輕鬆地談論著生活瑣事，然而，他對於我的事越來越不感興趣，
他的事我也越來越無法明白。

　　半年前，我們分手了，他說我們一定還會是朋友，但那之
後他一次也沒找過我。

· · ·

　　其實我挺喜歡沉醉在關於浚海的幻想中，就算沒有人開解
我也沒所謂。

　　在我打工的餐廳裡，有時午飯時間會湧進一群在附近上課
的大學生，雖然不是浚海那一所大學，但我總愛悄悄觀察他們，
從他們交談的動作和表情中，想像浚海現在變成怎麼樣。

有時候因為聽得入神，會呆站著不動，沒給揚手的客人反應而捱罵，有時候看到一個很像浚海的背影，試過打翻餐湯在客人身上，那幾次被罵了之後我都躲在員工更衣室痛哭，只有那次，我很需要人聽我傾訴。

　　那天看到客人打開報紙，看到《小王子》音樂劇的廣告。

　　我記得兩年前我的生日，浚海買了《小王子》音樂劇的票跟我一起看，那是英語場，我當時聽不太懂，不停問他到底在說什麼，他好像覺得有點煩，還噓了我一聲，之後他的臉色一直不好看。

　　那一次，他感覺到和我之間的隔膜嗎？如果再給我一次機會，我可能會聽出什麼來吧，可能會感動得掉眼淚吧！畢竟，後來我已看過那本書幾次，不再那麼無知。

．．．

「喂喂，我回來過聖誕。」我站在售票口時，收到阿豐的簡訊。

阿豐是我和浚海的共同朋友，嚴格來說他跟我還比較相熟，怎麼說呢？感覺上我們都是較平凡的人，沒有什麼大志向，人生大部份時間見步行步，並不會為此感到焦慮不安。

阿豐跟我一樣沒有考上大學，他家人讓他去台灣唸書，他在台灣聽到我說「浚海跟我分手了」，曾打電話去大罵浚海，自此他們之間應該也算絕交了。阿豐是唯一能聽我講浚海的人，但他平時不在香港，幫不上什麼忙。

這次他回來，碰巧我想找人陪我看音樂劇，總算有件好事，我微笑起來。

我二話不說買了兩張票，回來跟老闆娘說，那天晚上不當值。

．．．

我好喜歡在人潮湧湧的地方等浚海的時候。

電影院外、大劇場外、有戶外表演的廣場上、SOGO 百貨門外的十字路口……這個城市裡來來往往盡是互不認識的人，我在人群中尋找浚海的身影，我記得他每次第一眼映入我視線中的模

樣，他天冷時戴的冷帽、他手臂擺動的幅度、他由木無表情到笑開來的微細面部動作、他也發現我時那突然變溫柔的目光……每次我都想跑過去抱住他，但因為他遲到，我卻要按捺住自己的興奮，故意扮出生氣的表情，等他來到我面前，我便說：「有沒有搞錯？要女孩子等。」

他是個大懶蟲，每次都遲到，但每次到的時候，總會給我捎一件禮物，雖然知道只是沿路順手買的，但每次收到我都開心。

髮帶的話，他會立即替我束上，替我拍照，讚我好看，他會說「正是我一路過來想像的樣子」；他送的滿天星，我製成乾花耳環；便利店買的小暖包，雖然不暖了我還是一直收在口袋裡，幻想它有一天會出現奇蹟的溫度；巧克力吃完了，我把包裝紙全收進錢包裡，弄得錢包總是鼓鼓的、沉甸甸的；最多的是各模樣的小布偶，鼻子過敏的我，總是不理會鼻水直流在一床的布偶堆中入眠，但求能做些有他在內的夢。

那時候，他真的對我很好，他是全世界對我最細心體貼的人。為什麼我們後來會吵架？為什麼我們不能像以前一樣，吵架第二天就自自然然和好？什麼時候開始我們喪失了和好的能力？什麼時候開始，以前他都做到的事，成了我的強人所難？

　「我已經說過了，進了大學很多事情要重新適應，參與了大學社團也很忙，見不到面、回不了簡訊，也是沒辦法的事，你可以成熟一點嗎？」

　原來是我不夠成熟，是我沒把他的話放心上，都是我不對，趕不上他的步伐。

　「可是人家一星期才一天假期，平日下班又晚⋯⋯」我焦急地提議：「要不我來大學找你一起吃飯？」

　「跟你家相距很遠吧？你對路又不熟，來了我還不是要去接你，還是我有空才再找你吧。」

　不知道為什麼，每次約見面，自自然然就變成吵架。

　是的，我不認得大學裡的路，有天放假，他又說忙，沒法約會，我便一個人去大學隨意走走，按著他 Instagram 上的照片，去認大學不同大樓的位置。雖然他不知道我來了，但至少我知道他的生活是怎樣的。

　在一條斜路上，迎面而來的不是別人，正是浚海跟一位長髮女生，他們手牽著手。

我聽到他說：「歐洲旅行真的要和 Jack 那對一起嗎？ Jack 的女友好像捱不得苦吧？」長髮女生說：「六個人也不多啊，可以互相照應，不好嗎？」他們已經在談論著暑假的事了。

浚海看到我，一臉尷尬，但他還是鬆開了女生的手，向我走過來。

「來了怎麼不告訴我。」他說。

我想起了，這女生就是經常在他 Instagram 下面留言的人。

「你們一起很久了？」我小聲問。

浚海只是說：「對不起。」

無論他遲到多久，他都從沒說過「對不起」。

在他愛我的時候，他不會以為一句「對不起」就解決了一切問題，他會花心思為我選件破玩意。

但現在，他只懂得說「對不起」，再沒有別的了。

我輕輕轉身走了，我不是有心來揭破你的，我真的真的該忍住，不要來找你的。

• • •

「請我看音樂劇這麼好？」有人在我耳邊說，一回神，我從回憶中醒來，阿豐到了。

他揹著破舊的背包，膚色黑了許多，但是眼神清亮。

「很久沒見。」我把票遞給他。

他環視了四周一眼，看到一隊穿著戲服的小孩子走過，每個小孩身邊各有一個緊張兮兮的家長，他低叫：「該不會又是《小王子》吧？你可不要告訴我，你還沒有忘記浚海那傢伙！」

「碰巧想看而已。」我不願承認，但其實他來之前一秒，我腦袋就被浚海佔據。

「兒童版的票哪有人傻得掏腰包買的？都是那些表演的家長買來送親戚朋友的罷了。」

「誰演沒關係啦，或者更易明白呢。」

「連《小王子》都不明白是你自己白癡。」

阿豐對我說話從來都是那麼不客氣，有時態度還很差，但我又會忍不住聽他說，任他罵我，也許因為只有他跟我說實話吧，如果不中聽，聽完便忘記就好。

「還以為你去台灣唸書會變溫柔呢。」我苦笑。

「我對你還不溫柔？我之前就是對你太溫柔了！不該聽你一天到晚談論浚海，你看！你到現在都還沒脫身，人家都換了兩個女朋友了。」

暑假時他的確去了歐洲整個月，但同行的是另一個女朋友。這事我在他 Instagram 上看到。

如果對那個女孩沒感覺了，為什麼沒回來找我？我們可以重新開始，我是那樣一直等待著。

直至看到他的新女友，我知道一切只是我的妄想。

「別看了，去吃飯。」阿豐把票放在劇場入口的一張椅子上，在票的背面寫上「放下 · 贈票」，彷彿有什麼言外之意，要我放下。

我苦笑一下，被他拉著離去。

· · ·

我們到 Starbucks 買了食物在文化中心外的海濱吃。

阿豐大口大口吃著三文治，好像餓了很久似的。他自顧自說了很多他在台灣發生的事，他蹩腳的國語鬧的笑話讓他自己邊說邊笑，他怎樣在書店裡打書釘讀遍所有小說漫畫，他騎單車的環島之行，我大概接收到這些資訊，但一直只是唯唯諾諾地回應。

「這就 2018 年了，時間過得真快啊。」阿豐說的時候，我呆了半晌。

「2018 年？」我的腦還停留在 2016 年的除夕倒數，那年我和浚海一大早就來佔位子，就在這位置等看晚上的煙花。

「那你覺得怎樣？」他忽然問我。

「什麼覺得怎樣？」

「喂，你到底有沒有聽我說話？我問你覺得我應該留在台灣還是回來找工作？」

「啊！對不起。」我很不好意思，一恍神就淨想著過去的事。「我當然希望你留在香港。」

「都是我不對，對你太仁慈。」他好像忍無可忍，要發作了：「我之前就是太了解你，知道你想談他，就一整天陪你談，以為讓你談個夠，總有一天會厭了吧，能忘了他吧？哪知你這麼不爭氣，人家說人跌到去谷底自然會反彈，你怎麼還在谷底這麼久。」

我沒有說話，他說的全是對的，我是不爭氣，所以才常常在想，自己哪裡做得不夠好。

「謝謝你常常聽我說以前。」我由衷的，滿心感謝地望著阿豐。「雖然回想也不能挽回什麼，但只有回想的時候，我覺得他還在我身邊。」

「把手伸出來。」阿豐忽然說。

他知道我有那個習慣。

「快。」

他越催促我，我越把手收進衣袖裡。

他抓著我的右手，把衣袖揭起，看到自殘留下的新舊疤痕。

阿豐粗魯地甩開我的手，他沉重地問我：「你到底想怎樣？我都回來看你了，爭氣一點好不好？」

「他越是忘記了我，我越是不想忘記他，因為記得我們這段感情的現在只有我一個人了。」我哽咽起來：「如果我都放下了，那過去幾年不就餘下一片空白嗎？我很害怕這樣……」

「你傷害自己又有什麼用？你打算讓他看？」

「不是！」我低叫。「我沒有想過要他內疚。」

「騙人。你故意讓自己過得不好，你就是想他內疚，但你沒用，連走去問他會不會內疚的勇氣都沒有！」

我整個人在顫抖，用力咬著下唇望著阿豐，阿豐說得沒錯，我是連走去問他有什麼感覺的勇氣都沒有，所以才一個人在這裡胡思亂想。

「你知道你最應該怕什麼嗎？就是大家都向前走了，只有你還停在原地。」

「我只是想回到那些時候，一切重新來過，我一定會做得更好的，那時候年紀太小，我還沒有準備好做人女朋友罷了，現在再來一次的話，我一定懂的！」

「根本不是準不準備好的問題，你整天想著這些就是完全錯了焦點！你以為自己這樣沉溺很合理？你連自己有幾傻都不知道！」

「不要再說了。」我第一次掩住耳朵不聽阿豐說話。

我不想聽那麼殘忍的話。

是的，我比別人待在谷底更久，因為這兒讓我安心。

我情願待在一個沒有出口的漩渦裡，永遠不要出來。

「你啊，當然可以選擇不向前走，但願意為你回頭的人只會越來越少，到最後一個也不剩下，你想這樣嗎？」

他是暗示，連他也會有朝一日受不了我，不理我嗎？

阿豐忽然搶了我的手機，我看到他撥了浚海的電話。

「喂！慢著！」

他想怎樣？但我其實又不捨得阻止他，他做了我一直不敢做的事。

阿豐眼神堅定，他的等待比我想像中久，難道是用我的電話打，浚海猶豫嗎？

終於電話似乎接通了，阿豐劈頭就說：「喂，我回來啦！跟她一起，出來喝一杯吧！」

我心房繃緊，心跳幾乎要停頓那樣等待著，如果我們真的還是朋友的話，他沒理由拒絕⋯⋯

「好，一小時後，中環站等。」

阿豐掛斷了電話。

「浚海怎麼說？」

「他來啊，他說在大學附近的一間咖啡店等我們。」

我沒有說話，我突然不知道該用什麼情緒去面對即將的相遇。

「起身吧，去洗手間梳梳頭，最好化個妝什麼的。」阿豐提醒我。

● ● ●

阿豐和我站在地鐵月台等去中環站的列車。

「一會兒應該說什麼？」我小聲問他。

車來了，門在我們面前打開，阿豐輕輕將我推進去，但他沒有踏進來。

關門的提示響起了，我焦急地問他：「喂，你呢？」

「要終結痛苦，不如去找他，求一個答案。」

「你不一起來，我不行的啊。」

「有什麼不行？他肯見你，就代表他沒事，有事的是你。」

門關上了，阿豐頂在外面，不讓我離開列車。

列車駛進長長的海底隧道裡。

或者真像阿豐所言，惟有再次面對面，可以終結我的自傷自憐。

我應該跟他談什麼？談我終於看明白的《小王子》嗎？但他一定會在心裡嘲笑我，現在才明白遲不遲？

　　我想像他會否把女朋友也帶上，想像他會怎樣介紹我——「我的初戀女友」。

　　想像他問阿豐去了哪裡，想像他會懷疑騙他出來是我的主意。

　　或者這就是我該去見他的目的，親眼目睹他的冷淡，去明白愛情真的消逝了，沒有如果，也沒有下次。

　　約定的咖啡店，得沿著樓梯拾級而上。

　　那裡有點點光芒，很溫暖，好像浚海在人潮中的笑容。

　　我突然覺得，或者不需要那麼悲觀，或者他對我能像以前一樣溫柔。

　　起初分手時可能他不懂處理，但現在或者他已有了經驗，變得成熟。

　　我好想看看成熟的他是怎樣，我好想聽他說歐洲旅行的事，就像我也有份參與……

　　其實我真的好想見他，我也很高興他會願意見我，跟我在這麼靜的地方聊天。

我又開始幻想，或者我們之間還沒有完，或者我們的第二次戀愛，就在我踏進咖啡店那刻開始。

　　我沒有辦法戒掉關於你的幻想。

　　我已經可以看見你的身影了。

　　我不敢再往前行一步，只要多走一步，我會看到你旁邊的座位有沒有人。

　　我想我可能會一直站在這裡。

　　就像我的心一直停留在過去的時空，那裡只有疼愛我的你，只有快樂，沒有背叛，沒有傷害。

原來你愛的

是被我苦戀的

你

如果再有下次

可惜下次

我也愛上

苦戀你的自己而不是

你

不次愛你 ——

以為

你厭惡的

是愛你愛得很慘的我

這次再見

已經偽裝成若即若離

的高手

因為懂得

才看透

track 04 ——_ 不 如 不 見

原唱／陳奕迅
作詞／林夕　　作曲／陳小霞

頭沾濕　無可避免　倫敦總依戀雨點
乘早機　忍耐著呵欠　完全為見你一面

尋得到　塵封小店　回不到相戀那天
靈氣大概早被污染　誰為了生活不變

越渴望見面然後發現　中間隔著那十年
我想見的笑臉　只有懷念　不懂　怎去再聊天

像我在往日還未抽煙　不知你怎麼變遷
似等了一百年　忽爾明白
即使再見面　成熟地表演　不如不見

尋得到　塵封小店　回不到相戀那天
靈氣大概早被污染　誰為了生活不變

越渴望見面然後發現　中間隔著那十年
我想見的笑臉　只有懷念　不懂　怎去再聊天
像我在往日還未抽煙　不知你怎麼變遷
似等了一百年　忽爾明白
即使再見面　成熟地表演

不如不見

| 04

「臭小子，最近為什麼貼那麼多感性文？」好哥們的群組
裡傳來簡訊。

星期六還要加班工作，晚上九點才總算收工了，這算是兄
弟間互道關心的方式嗎？也許是最近心靈特別脆弱吧！在心裡猶
豫了一陣，我說：

「跟 Kay 分開了。」

「願聞其詳！」

「我們在山林道老地方喝酒，齊人了，你過來吧！」

雖然害怕去到他們會咄咄逼人，但又覺得可能只是自己想多了，未必會成為話題中心的，反正還不想那麼快回家，我便答應前往。

● ● ●

　　來到山林道街頭，正要轉彎時，我忽然被一種直覺攫住我的心。

　　我突然想到，如果 Kay 也在這條街上，怎麼辦？

　　其實我有什麼理由相信會在這裡碰到她呢？我跟她從來沒有來過這條街，所以也不能說是什麼東西勾起我的回憶，真是純粹的第六感。

　　或者只因為我太想她了。

我已經習慣了用工作讓自己麻木，但是工作時越專心，工作過後的反撲就越大，對她的思念就越強烈。

　　也許是因為這樣，才會沒緣由地覺得她會在這裡吧。

　　星期六的晚上，我可以想像她在那間文青風小酒館裡，跟她的幾個閨蜜暢飲日本清酒。而那些我聽到很厭煩的女人的是非與故事，將不會再聽到了。

　　還在一起的時候，我們身邊的一切都跟對方有關，那些我不該也不必知道的別人的秘密，我都略有所聞，聽著你妒忌這個羨慕那個，去捉摸你內心的想法。可是分手後，那些人的事跡全都與我無關。但我竟然可以如此鮮活地想像，她們聚會的畫面。

　　女人。

　　又或者，其實我更怕想像的是，她身邊有人了。一個男人。

　　雖然她一直沒說是因為第三者而跟我分手，可是我已作了最壞的打算。

　　如果那個男人一看就是我最討厭的那種人怎麼辦？如果那個男人很帥很高，總之什麼都贏我一截怎麼辦？

　　又如果，那個男人是我認識的人怎麼辦？

如果我能說得出她跟他是在哪個場合上認識的，怎麼辦？我一定會反覆思索當時的我到底在做什麼，為什麼沒有全力去阻止她愛上別人。

　　如果其實 Kay 與我分手的事，根本所有人都知道，他們只是等著我去分享我的不幸，怎麼辦？

　　我的腳步仍停在街口，我決定轉身離開。

　　唯一我肯定不會碰到她的地方，原來只有我自己的家。

　　這個，她選擇了離開、永不回來的家。

● ● ●

　　我們兩個本來住在元朗一間村屋，租的，雖然有點偏遠，但她說，我們還年輕，奔波一點沒關係，遲早我們兩個一起轉做自由業，到時沒事就留在家，最重要是家要夠寬敞，不能有侷促的感覺，想見朋友就請他們週末來 BBQ，她還為此學踩單車，但因為村口的路沒鋪好，她不知跌傷了多少次，到最後，單車就隨意泊在門前的空地上日曬雨淋。BBQ 是辦過一次，但因為不停有朋友迷路，要逐個逐個出去接他們，結果我們也覺得煩了，便沒再辦。

　　很多事情我們原先都想像得很好，但往往事與願違。

　　當我們還愛著一個人的時候，都以為自己可以修心養性了。

我本來已做好修心養性的準備，但不知道什麼時候開始，她的心裡悄悄起了波瀾，她變卦了。

　　有一晚，她沒有回家，我也因為在電腦前忙一個第二天死線的項目，沒有找她。

　　她是個獨立的女生，朋友也很多，我心想，她大概只是在哪個朋友家過夜了，沒問題的，畢竟我們這裡時間晚了沒有車。

　　隔天早上她回來的時候，我頂著一副黑眼圈，正要出門上班去。

　　「嗨。」

　　到現在我仍然後悔，為什麼在大門口碰到徹夜未歸的她，竟然會說「嗨」？

　　我為什麼不能表達出我的擔心，說一句「昨晚你去哪了？」或者「我很擔心你？」

　　那樣的話，她是不是不會做那個決定？

　　她抬頭望著我，語調含糊、眼神有點不耐地說。

　　「我覺得，我們不如算了。」

　　「欸？」

「我說我想跟你分手。」她的語氣好像這是什麼平常事。

「為什麼？」我頭痛欲裂，我懷疑自己其實還沒睡醒，這應該只是一場夢，所以所有台詞都錯了。

「我好像對你沒有那個感覺了。」

她是從什麼時候開始發現的？

對了，我是從何時開始，覺得她在迴避我的眼神？

一起久了，感覺可能會變得沒那麼強烈，可是，不至於完全沒有吧……

「是對我有什麼不滿嗎？」一回神，我發現自己在挽留、在求饒。

我從來沒想過自己會對一個女人如此低聲下氣。

我承認，可能我以為和她穩定了下來，最近沒做什麼，讓她感到被捧在手心。

不過，只是一時鬆懈了而已，總不能就這樣判我死罪。

「不是你的問題，你和之前一樣，只是，我追求的東西變了。」

「你說出來吧，可以做的我都做，可以改的我都改。」

「根本就不關你的事，你可以做什麼？」她晦氣地說，彷彿怪我不明白。

才說不到五句，我怎可能明白一段五年的感情，就那樣消失了？

● ● ●

一個人回到我跟她分手時爭吵過的家門，我看到業主來過塞進郵箱裡的催交租金通知單。

我把單子揉成一團，用力丟出露台外。

我根本不需要那麼寬敞的家，我只是需要一部電腦給我工作就夠了。

「臭小子，我們走了，怎麼不來？」正要開門，又收到朋友的訊息，這次是最熟的那個哥們的個人問候，沒有其他不相干的人。

「累了，已回家了。」

「等你許久！不是玩失戀閉關吧？」

「我怕碰到她。」

「怎會這麼巧？」

「香港多大？玩的地方就那幾處，沒什麼不可能。」

「你能躲到什麼時候？」

躲到，我能碰上她，而不覺得受傷的時候？

躲到，我站在她跟前，能夠祝福她的時候？

「下次再約吧。」我打發過去說。

「下次你請客啊！」

「行。」

● ● ●

回到書桌前，放下背包，如常無意識地先打開電腦。

彈出的臉書視窗，第一個就是 Kay 的狀態更新。

她打卡的地點令我大吃一驚。

今晚她果然在山林道！

她在一家新開的酒吧，身邊的朋友有男有女，她自拍的方式依然一樣，面向鏡頭的仍然是她有信心的右邊臉。

我傻傻地輕撫屏幕上她的臉頰。

我就知道她在那裡。我真的知道。

我現在開始後悔了，我其實是應該去碰碰她的。

說不定她的朋友會讓我坐下，說不定我們可以重新開始。

問我

那戲院離這裡多遠

我視力忽爾恢復

把地址從我手機

隔著兩道甜點

送到你手上

很有默契的笑笑說

那齣戲啊

我早看了

不如不見 ——

久別重逢於異地

氣喘到喉嚨繃緊

心跳到視線模糊

看著你坐下來

話題一如往昔

介紹我一齣好電影

剖析人性很通透

說你買了票約了人

等一下要看午夜場

track 05 ——_ 償還

原唱／王菲
作詞／林夕　　作曲／柳重言

從未將你的貼相　從右翻至左欣賞
從未躺進髮上　貼身搔癢
怎會當尋常

從未聽你的拇指　撩動花瓣的聲響
從未真正放手　所以以為
擁抱會漫長

償還過　才如願
要是未曾償清這心願
星不會轉　謊不會穿
因此太希罕繼續相戀

償還過　才情願
閉著目承認故事看完
什麼都不算什麼　即使你離得多遠
也不好抱怨

從未等你的眼睛　從夢中看到甦醒
從未跟你暢泳　怎麼知道
高興會忘形

從未跟你飲過冰　零度天氣看風景
從未攀過雪山　所以以為
天會繼續晴

| 05

　　「其實你覺不覺得我們勉強下去只是好勝？」你揮了一下菸灰，你的手掌很厚，我總會不由自主地幻想被你捉住的感覺。你把香菸夾在兩隻手指中間、輕輕一揮的動作仍然這麼好看，我記得第一次看你揮菸灰也是在這裡，在不應該抽菸的兒童遊樂場。我們從來不是離經叛道的人，所以才會為離經叛道而著迷，而很遺憾，也許那種浪漫已經褪色了。

　　那晚我們本來用手機聊著，忽然你說：「如果有空的話，我來你家樓下找你聊天？」我便披著外套脂粉不施下樓來了，後來你說覺得那晚的我特別美，我覺得那樣下來跟找我的朋友在公園聊天感覺好青春，好像十五六歲才會做的事。

　　「誰好勝？你還是我？」從回憶中醒來，我啞聲問，我實在受不了你把一切歸咎於好勝。

　　你沒有回答，也許我們都該負一點責任。

如果不是好勝，應該更早分開。

但是，如果不是好勝，我們應該不會愛得那麼熾熱。

如果不是好勝，可能我們沒有那麼多的共同回憶。

對於愛情，我不怕結束，我怕的只是什麼都沒發生。

那麼，或者好勝的真的只有我吧！

● ● ●

我們都是各自離開自己的戀人，背負著千夫所指的罪名，要走在一起的。

那晚在酒吧，帶著幾分醉意的你跟我訴苦，說和同居數年的她其實有多不合適，她是個務實的人，而你追求浪漫；她沒有安全感，你需要呼吸自由的空氣。

我也跟你說，我的男朋友有多麼的不成熟，多麼不講道理，每次吵架就愛哭，他像是我的包袱，我再也不想揹下去，可是卻連我父母都站在他那邊。

然後是我先說：「我覺得跟你一起會更幸福。」你抿著唇凝望著我許久，彷彿在力抗我嘴唇邊的誘惑，然後你吻了我。

你說，是我讓你重新記起什麼是愛情，而愛情不應該只是妥協。

● ● ●

我跟男朋友分手了，你卻說女朋友為了你自殺，未遂。

我從來沒想過一個務實的人居然會走了最不務實的這一步，要是真的死了，不就成全了我們，這對她在遺書上猛烈批評的「壞人」嗎？

「她只是要面子。」你從醫院打電話給我，喃喃自語似地，我從沒聽過你的聲音如此顫抖。

我什麼都沒說，我當然不希望你是個無情的人。

「她不可能還愛我。」你說。

「我得暫時留在那個家。」你說。

●　●　●

後來，她越來越瘦，說是患了厭食症。

她用這種看得見的方式，讓家人朋友都痛罵負心的你，你像是舉目無親。

但你有我。你還有我。

每次知道你跟我見了面，你回去時，她就將那封遺書貼在大門口。

不知情的鄰居報警，警察聯絡上你，又是一番擾攘。

我跟你從來沒法靜靜地談一天的戀愛，每一秒鐘反而更加要盡情。

這一次，你說，你受不了，不要再理她了。

我知道他們罵我的話有多難聽，那麼我們就去做別人口中的壞人吧。

●　●　●

　　我們是突然決定去北海道滑雪的，因為牽著手走在街上，電器店的櫥窗播放著那裡嚴寒天氣的新聞。

　　我們在機場等待後補機位，隨手買了保暖的行裝，別的一概不帶。

　　原來你在加國唸書時學過滑雪，真希望那時候你認識的是我不是她。

　　我跌倒了，擦傷了，你替我包紮，並佩服我「你怎可以一滴眼淚都不流」。

　　因為我的前男友是個軟弱的人，我更加要學著堅強。我不願成為任何人的包袱。

　　「你的堅強反而讓我心疼。」你說。

　　「我不堅強，我只是沒時間軟弱，我們還有很多事情要做。」

　　「是的。」他笑了。

　　我們在最北之岬留影。

回程時車誤駛進不是車路的地方，我們被困雪地，眼看天快要暗下來了。

「我們遇難了。」他手從方向盤輕輕放開，雖然這麼說，卻臉帶微笑。

「我們早就遇難了。」我也笑說。

我們在車廂裡擁吻、依偎，這是我一直所嚮往的感覺，只要我們在一起，什麼都不必怕。

我深信，人的一生必需嚐一次這樣的愛情。

雖然可能會死，但是至少這裡沒有人找到我們，聽不到壞消息，也不用承受別人的議論和評價。

第二朝醒來，雪停了。

我居然看到車前不遠處，有一點粉紅色。

「是櫻花的花苞。」他探前仔細看：「太早開了吧。」

「它就是不甘心跟其他花一起開。」我好像有點明白它的心情。

「這樣花開不到，會冷死的。」他說。

「即使如此，也想探頭出來看看這片雪。這片不該屬於它的雪景。」

深夜發出的求救信號終於傳遞出去了，眼看穿著反光衣的三個救援人員正向我們走來。

我們興奮得衝出去，向救援人員揮手，又叫又跳。

那一刻，我們才知道自己有多想活。

因為惟有活下去，才能與你看見更多奇蹟。

我們還要品嚐更多好吃的東西、香醇的美酒，看你對不公義的事咬牙切齒，看你因為勝出遊戲而孩子氣地笑，看你對沒把握的事情逞強……你的每一面，光明還是黑暗，我都想親手觸摸、親眼看見。

● ● ●

我們披著加厚毛毯，喝著救護站派發的熱湯，以僅懂的日語和再三的鞠躬，連聲感謝。

救援人員開車送我們回札幌，在路上手機重新收到信號，你的留言信箱滿了。

「她爸爸說她進了醫院，叫我立即回去。」他沉重地說。

「他罵你嗎？」車裡很靜，我都聽到了。無非都是罵你女朋友快要死了，你還跟別的女人風流快活，你是不是人……

她爸爸是你很敬重的人，你也因為她爸爸的緣故當初才認識了她，你答應過她爸爸會好好照顧她，所以這個人的責備你無法聽了就算。

　　看到你別過臉看著車窗外，手用力握著手機幾乎要把它捏碎的樣子，我不忍你的痛苦，你沒做錯什麼，你只是愛我而已。

　　「她是故意的，她就是不想我們開心。」我悻悻然說：「明明她跟你一起你們也不開心，就是不肯放你走。」

　　「別說了。」你卻語氣堅定地說。「我先回去。」

　　「可是我們還訂了兩天的飯店……」

　　「你不能那麼自私……」你大聲吼我，然後突然像發現說錯話似地，小聲說：「我們不能這麼自私。」

　　回到旅館，我看著你默默無言地收拾東西，用手機買特急機票。

　　我想起那朵淡粉紅色的櫻花，捱過這寒冬就好了，一切都會好起來的。我想對它說。

● ● ● ●

　　後來，她終於死心，跟你分開了。

　　她說她明白感情不能勉強，很多事情已改變。

她說她相信你已盡了力，而她不怪我的出現。

她說她很膽小，永遠沒法陪你實踐你的理想。

她說她會看得開，她說她會好起來。

於是，你終於是我的，百份百是我的。

我們搬進了小小的新居。

我們為怎樣佈置家居慪氣爭吵，在夜裡又甜蜜地和好。

你甚至跟我說過你一定要娶我，而我只是笑笑說你的求婚太沒有誠意。

• • •

然後，我們的問題來了。

原來你的浪漫意味著你會逃避一些責任。

原來你要的自由意味著你想要更多獨處的時刻。

我對愛情充滿期待的時候，你卻說感情的事已讓你很疲累。

原來我在你心裡總是要求太多，你說你沒法做到隨傳隨到。

我總忍不住問你，記不記得我們多艱難才能夠一起。

你說你受夠了被威脅，叫我不要再動不動就搬出從前。

你說你沒欠我什麼，你說我應該回去跟我的家人和好。

你卻從來不肯見我的家人，說好的求婚呢？我始終等不到。

● ● ●

每次我們吵得兇，你就到你死黨那兒過夜，留的時間也越來越長。

每次都是我跟你道歉，說會收斂我的脾氣。

後來，我知道你死黨原來有個同住的妹妹，她喜歡你。

有一晚，我難得煮好了豐盛的晚餐，你卻無論如何要出去。

「我不是跟你扮演幸福家庭的道具！」你怒吼。

然後我看到她的 Instagram，你喝醉在她餐桌上的臉部大特寫貼文。

你的臉旁有一個大大的蛋糕，她寫道：有個喝醉的傻瓜陪我慶祝生日。

照片裡的氣氛很浪漫，但卻是別人的浪漫。

這不算什麼。跟我們經歷過的事情相比，根本不算什麼啊。

我假裝不知道你和她的事。

會有轉機的。

就像我們當初也沒想到你的前度會突然放手。

● ● ●

有一天，我突然有一種直覺，你已經將所有屬於你的東西搬走。

你一定已下定決心跟我分手，我在街上徘徊，不敢回家。

就這樣，有天我在街上看到你的前女友，她跟一個男人把臂同行。

她比以前健康了不少，氣色很好。

然後看看我自己，不是沒得到過想像中的幸福，而是那幸福已過去了。

我在街上眼淚流個不停，路上每個人都望向我。

也許，我們應該在愛情最美麗的一刻結束，那麼便不會等到愛情變質。

只是，多少人能在得償所願的一刻早早放手呢？

原來我們追求的是那種一起排除萬難的轟烈錯覺。

彷彿全世界都是錯的，唯獨你和我是對的。

當世界不再與我們為敵，我們卻尋不回先前對彼此的感覺。

但回憶那麼美好，我仍未放棄去追尋。

● ● ●

你不是沒有試過為我不惜一切。

你不是沒有試過捍衛別人眼中的我。

其實我要的不過就是這些。

我只是想知道，在你心裡，關於我的事情又記得多少？

我們戀愛的回憶會留下多久？

會有無法被下一位取替的珍貴部份嗎？

手機傳來你的簡訊。

「你在哪裡？回家我們談一談？」

訊息只是短暫略過，我假裝沒有看見。

閉上眼睛，那粉紅色的花苞燦爛地盛放在鋪滿雪的森林裡。

例如

結婚之後

給你子女紅包

poem

償還

還沒有做過的事情太多

track 06 ——_ 大 城 小 事

原唱／**黎明**
作詞／**林夕**　作曲／**雷頌德**

想不起怎麼會與你開始
甚至話過我愛你三個字
大概是我失憶　並沒記起我做過的事

不想等失憶症發作加深
願記住我被你熱吻過的幸運
未來別擔心　道別已經這樣近

無回憶的餘生　忘掉往日情人
卻又註定移情別愛的命運
無回憶的男人　願你不必再憐憫　過去了不要問

吻下來　豁出去　這吻別似覆水
再來也許要天上團聚
再回頭　更唏噓　如曾經不登對
我何以雙眼好像流淚

彷彿一種感覺永遠終止
是我或你上世做過太多壞事
能從頭開始　跪在教堂說願意

娛樂行的人影　還在繼續繁榮
你在算著甜言蜜語的壽命
人造的蠢衛星　沒探測出我們已
已再見不再認

吻下來　豁出去　這吻別似覆水
再來也許要天上團聚
你下來　我出去　講再會也心虛
我還記得到天上團聚

吻下來　豁出去　從前多麼登對
我何以雙眼好像流淚　每年這天記得再流淚

| 06

Alicia 一直在注視著餐廳某方向，目光久久沒有移開，我沒有立即發問，是因為我喜歡看她的側臉，她的側臉總讓我想起一個人，為了偶然看一看她的側臉，我才會提議在這麼貴的五星級法國餐廳吃午飯，我覺得她會很襯這裡的環境，尤其是她那彷彿在訴說「我不值得這麼好的東西」的表情，會讓我覺得即使很快和她分手，也總算讓她留下美好回憶。

我們剛吃完，我伸手示意結帳，回頭問她：「在看什麼？」

「那邊剛進來的女人，好美，讓人忍不住看。」

「我以為男人才愛看美女，女人也會這樣？」

「學學人家怎打扮也好。」她笑笑。

這時我才往她看的方向望去，本來的笑容凍結在面上。

我認識那個女人，她叫雅慧，就是 Alicia 的側臉令我想起的那個人。

　　雅慧即使穿著素色的簡約衫裙，也可以在坐滿達官貴人的環境中閃閃發亮，她只是露出一條手臂，就是比整個維港更好看的風景。

　　她跟一個穿西裝背向我的男人一起，坐在落地玻璃窗旁的位置，服務生殷勤地向她介紹餐酒，一如所料，她不會像別的女人一樣交由男士決定，她有自己的一套，這也是她始終吸引我的地方。

　　服務生不知何時把帳單遞到我面前，我為自己的恍神感到失禮。

　　我們離席，通往出口前會經過雅慧的桌，我心情有點緊張。

並不是說我身邊沒有引以自豪的對象，而是我還不懂得如何面對雅慧。

　　我本來已決定不打招呼，正要在她身邊走過，一枝筆突然滾到我腳邊。

　　筆就掉在我的皮鞋邊，「不好意思……」我聽到雅慧的聲音說。

　　出於風度我幫她撿起來，一聲不響地放回她的桌上，她抬頭看到我的臉，想說的「謝謝」沒說完，她似乎站起來叫住我──「你……」我不是太肯定她還有沒有多說出幾個字，因為我沒和她對上眼就離開了。

　　● ● ●

　　自從看見雅慧，Alicia 的側面再也無法滿足我，正面更讓我煩心。

　　當你真正愛過一個人，最大的後遺症，就是往後的人生遇上的人全都成了瑕疵品。

　　尤其是當我看到 Alicia 穿上跟她一模一樣的裙子時，莫名地生氣。

　　本來下班約了她喝一杯然後去看電影，但是一看到她，我卻說突然有工作，匆匆喝了一杯就撇下她走了。

她給我狂發訊息，我都已讀不回。

拖了三天，我覺得時間差不多了，才用簡訊跟她說分手。

「什麼性格不合？我才不信！人人都說你不是好人，是我偏要試。」

然後循例變成「我們再試一次」、「你有什麼不滿意我會改」之類的哀求。

如果我真是一個壞男人，看到這些訊息應該很開心吧。

可是我不開心，但不打算因為這樣改當個好人，所以這點不開心就算是受到懲罰吧。

• • •

「你沒有愛過我吧？」雅慧倚在我胸口，抬頭問我。好像很久遠的記憶，但自她以後，再沒有一個女人有勇氣問我這句話。

「我愛呀，只是，我老早跟自己說，我最愛的是自己。」那時候我真是坦白得傷人。現在想來，真是很幼稚。

「你會不會娶我？」她彷彿完全不管我的說法，充滿希冀地問。

　　現在想來當時的我是人生最幸福的時期，她真的很愛我，再沒有一個女孩像當時的她那樣愛我了。

　　「如果我說我要訂婚，所有人都會嚇一跳。」我笑說。

　　「那就更加應該做，讓所有人嚇一跳，不正是你的風格嗎？」

　　不知道她是很了解像我這種男人，還是了解我。

　　我真的為她做了我從沒想過會為任何女人做的事，我給她買了戒指。

　　● ● ●

　　雅慧雖然出身藝術世家，但跟我們幾個在中環職場打滾、自命不凡的商界人士算是一個社交圈的人，自一次在慈善晚會碰面，我便對她留下很深的印象，她氣質出眾，男性朋友們卻全都勸我死心，說很多才俊追過她，她都不為所動。

　　我卻認定我跟她幾次眉目交流並不簡單，我覺得自己不是全無機會，別人的勸阻只是令我更想追她。

加她臉書，她接受了，我更有信心。看到她亮出《大亨小傳》的電影票，表示一個人去看，我便跟她說話。「找不到人陪？」「沒辦法，看第五次了，有興趣的朋友都陪過了。」我沒有約她，而是到電影院碰她，買了她旁邊的位子，用汽水杯裝了鮮花，給她驚喜，她真的很開心。

　　我一點都不覺得她難追，反而，只要猜中她的心，她是非常易追的女孩。

　　「你有沒有最喜歡哪一幕？」看完我問她。

　　「當 Daisy 說女人最好不要太聰明，最好當個漂亮的小傻瓜，我就覺得她雖然自以為可憐，其實很幸福，她的丈夫雖然不忠，卻絕不會放棄她，其實也是很愛她的吧？」她以不解的神色望我。「男人會這樣嗎？愛一個女人，卻不一定對她好，對女人情深一往的男人，女人又不一定喜歡。」

　　我不懂她說什麼，她聰明地看出我為難，笑說：「不要緊，陪我看的男人，每個都是不知我感動什麼的表情。」

　　「你感動是因為，你在尋找一個把愛情看成生命那麼重的男人，卻只有在故事中找到。」

　　她定睛望著我，我說中了她的心。

　　「你太聰明了，當不了傻瓜的。」我說。

　　那天，她成為了我的女朋友。

「但你真為一棵樹放棄整個森林嗎？」一向對我有意思的女同事試探地問。

公佈訂婚後，我跟幾個同事去酒吧喝酒。

「我承認當初追她也只是貪好玩，誰教大家都說她很難追，我就想試試看。」

我開玩笑地說：「訂婚也是貪好玩罷了。」

「冰山都可以劈開。」同事們以羨慕的眼光對我說。

從小我就女人緣不錯，加入投資銀行、最近又升職了之後，同性朋友似乎也多起來，我真的以為無往不利，卻不知道也有人看不過眼。

一起喝酒的同事中，有一個跟我多年稱兄道弟的男人 Eric，他一直暗戀雅慧。

他將我說的話錄了音，轉告了她。

雅慧並沒有這麼容易轉投別人懷抱，她反而給我看海外婚禮的小冊子。

「我們去沖繩的教堂結婚好不好？就六月，六月天氣最好了。」

我看也沒看一眼，關於婚禮的一切都教我恐懼。

她愛我，想要我，想跟我一起生活，我的確很開心，但我不知道自己什麼時候會有不同的想法，我不想侷限自己。

• • •

如果她只是不斷逼我，也許我也不會覺得內疚。

但她卻為我放棄了很多。

她父母都是藝術家，本來要移民加拿大，家人為一向熱愛雕塑的她，選定了著名的美術大學深造，她卻為我留了下來。

她父母從一開始就不喜歡我，他們不知從哪裡聽聞我過去傷過幾個女人的往事，不信我會對她好，她為此和家人決裂。

我有個患病的弟弟，照顧他本來是我的責任，我卻為了全力在事業上衝刺，除了給錢，幾乎不回家，我在感情上愛逃避的個性，也是家庭造成的。

起初雅慧只是陪過我回家一次，直至母親對我說起，我才知道她天天都有去照顧我弟弟，還說是我的意思。

「我的腿越來越差，差點連自己都站不起來，如果不是雅慧，也不知怎麼辦。」母親只是留言給我，我忙起來懶得接聽：「但是她一個女孩子，你弟弟又長這麼高大，發脾氣時打人力氣好大呢！」

我心裡本來想替母親請個看護，但又因事一再拖延，我的確不是好兒子、好哥哥，我甚至裝作不知道雅慧天天去照顧我家人這件事。

　　我心裡甚至有點覺得，不知道她在耍什麼心計。

　　我以前接觸的，都是那種女人。

　　直至一天早上，母親焦急地打電話給我。

　　「你弟弟又在街上發脾氣，把雅慧推出馬路，雅慧進醫院了，你快來！」

● ● ●

　　到頭來，被車撞的傷倒沒什麼，只是雅慧被推出馬路前，弟弟用力扭她的手腕，她可能無法再從事雕塑的工作了。

　　「我是你的未婚妻，愛情是我的全世界，你的家人就是我的家人，我不後悔，也不怪誰，只要有你就夠了。」

　　唯一一次陪雅慧去中環的診所回診，她竟然還一臉滿足。

　　以前我不相信有把愛情看得那麼重的人，每人都是最愛自己的是吧？都會保留一點給自己吧？會有不想跟情人在一起的時刻吧？

她卻讓我知道真有這種人，我深深吃驚，害怕被這麼強烈的愛束縛住。

　　離開診所，我們在中環半山一帶走著，她停在一家藝廊前駐足。

　　「那是我媽媽的畫。」她指了指櫥窗裡一幅水墨畫。「很久沒跟她說話，很想念她呢。」

　　我覺得非常愧疚，她為我付出那麼多，根本從來沒有什麼心計。

　　我被她打動了，卻討厭被打動，我怕很快會後悔自己太投入，怕再等下她付出更多，才發現她不適合我。

。 。 。

那之後我非但沒有對她更好，反而對她很冷淡。

我不提分手，卻對她忽冷忽熱。

後來，有一個清晨我忽然想找她，便買了早餐到她的家去。

按了門鈴，久久沒有回應，我其實有鑰匙，開了門，竟然看到屋裡不止她一人。

是 Eric，他的衣物都在床上，我在公司裡同組的好兄弟，那時候我還不知道他曾經向她打小報告，我真的很吃驚。

我扔下早餐，衝上去揮拳揍他，我從不知道自己這麼在乎雅慧，這麼害怕她被人搶走。

原來愛情大過天的她，也是會變的啊？

我早說吧，愛得那麼投入那麼瘋狂，還是會改變的啊，如果我那麼把一個女人當一回事，最後受傷的一定是我。

Eric 對我一點歉意都沒有，被打後，他罵道：「你根本就不珍惜她！你現在緊張什麼？」

「只有一次，昨晚我們都醉了！只有這一次。」雅慧哭著說，她被我嚇怕了。

Eric 聽了很沮喪，我想他對她是真心的。

「你先走吧。」她對 Eric 說。

「我在樓下等你。」Eric 說。他居然還有不放心的資格。

「別等了，再說吧。」她語帶愧疚地說。

Eric 這才不心息地走了，留下怒氣未消的我。

「我只是想你緊張我。」她說。「我只是不知道還可以怎麼辦。」

她是那樣的無助，全因為我不懂得愛一個女人，不懂得讓女人幸福。

「我們分手吧。」這是我最後一句對她說的話。

「分吧。反正就算沒有他，我也早已累了。」沒想到她就那樣答應了。

● ● ●

和雅慧分手後，公司流傳著閒言閒語，說我悔婚，不管女方為我犧牲了那麼多，說我是個沒良心的男人，八成是 Eric 說出去的。

別人都說我不好，卻不知道是她先辜負我。

殘忍的真的只有我嗎？我卻從來沒有背叛過她。

隨他們說吧，反正我習慣了當壞人。

她並沒有和 Eric 一起，後來我聽說，她去加拿大跟父母會合了。

這幾年我在中環換過幾份工作，繼續過著貌似遊戲人間的生活。

但我再沒有送過誰戒指，也從來沒談過一段超過三個月的戀情。

· · ·

今晚我一個人到酒吧喝一杯。

出去抽根菸的時候，竟然在對街的藝廊櫥窗後面看到雅慧，正在低頭書寫著什麼。

她的頭髮輕輕垂落，在腮幫投下濃淡合宜的陰影，眼神溫柔晶亮，不錯，就是那張我一直懷念的側臉。

她抬頭，看到我，怔忡了一會兒，我動也不動地和她相視對看著。

我曾經以為自己沒有愛過誰，但原來不是。

事到如今我才知道我原來非常愛她。

她放下手上的東西，從藝廊走出來。

「嗨，許久不見。」她微笑對我說。

「也不是很久，上次在 Caprice。」我說起那間餐廳。

「噢，我以為你不認得我。」

「你又變漂亮了，但不至於不認得。」我捻熄了菸。

「那為什麼不打招呼？」

一向自負的我，要裝作不認得舊情人，唯一的解釋，就是我還沒放下。

但一向自負的我，絕不可能承認。

「不想你跟男朋友交代我是誰。」我笑說。

「你這人沒心肝，不記得也不稀奇。」

「我是比較善忘。」我敲了敲自己的腦袋，故作輕描淡寫地說：「對於那些會傷害自己的事，尤其記不起來。」

她失笑，反問我：「我曾傷害過你嗎？」

「怎麼沒有，能傷害我的女人至今沒有幾個，很好記。」

她頓了頓，「我很高興你這樣說。我以為你鐵石心腸。」

「什麼時候回來的？」

「有半年了，當不成雕塑家，現在在藝廊做統籌的工作。」

她微微揮動了手，似要給我看，但又不想責怪我似地，很快收回。

我的心一陣刺痛。

藝廊裡有人叫她，她沒說再見，只再看了我一眼就回去了。

●　●　●

後來我一個人到那間藝廊逛逛，沒有見到她。

但我看到一個泥雕塑，是一個汽水杯裡放著一束鮮花，明明只是單調的灰色，我卻像見到顏色。

標題是：「在愛上一個人之前，我們不懂什麼是青春，在為一個人受傷之後，青春卻又已消逝。」創作者正是雅慧。

隔著玻璃窗，我看到她在對街，抱著一大束鮮花，跟一個穿西裝的男人手牽手回來。

我留下了卡片，就從另一扇門離開了。

踏出店門前，好像剛巧聽到她的笑聲。

我想她已找到屬於她的幸福，而我沒有她幸運。

如果我們曾經互相傷害，那我該慶幸的是，至少我成就了她的青春。

無法將愛情看成全世界的我，也許一輩子也沒法找到值得安頓的戀情，只能繼續飄泊。

群眾一時沉默

然後頓悟歡呼

我們心中沒有敵人

我們只有愛與和平

大城小事

廣場高台上

有人拿著大聲公吶喊

我愛你

track 07 ── 左右手

原唱／**張國榮**
作詞／**林夕**　作曲／**葉良俊**

不知道為何你會遠走
不知道何時才再有對手
我的身心只適應你　沒力氣回頭
不知道為何你會放手
只知道習慣抱你抱了太久
怕這雙手一失去你　令動作顫抖

尚記得　左手邊一臉溫柔
來自你熱暖　在枕邊消受
同樣記得　當天一臉哀求
搖著我右臂　就這樣而分手

從那天起我不辨別前後
從那天起我竟調亂左右
習慣都扭轉了呼吸都張不開口
你離開了　卻散落四周

從那天起我戀上我左手
從那天起我討厭我右手
為何沒力氣去捉緊這一點火花
天高海深　有什麼可擁有

留住你　別要走
無奈怎能夠　除下在左右我的手扣
有愛難偷

從那天起我不辨別前後
從那天起我竟調亂左右
習慣都扭轉了呼吸都張不開口
你離開了　卻散落四周

從那天起我戀上我左手
從那天起我討厭我右手
為何沒力氣去捉緊這一點火花
天高海深　有什麼可擁有

| 07

　　「為什麼你老是站在我左邊？」走在人來人往的彌敦道上，阿然笑笑問我。

　　「有嗎？我也不知道……」我也想笑笑掩飾心虛，但覺苦笑也無力。

　　其實我知道是為什麼，只是不知道舊戀情留下的反應如此深入骨髓，不只成了習慣，已經是我的本能反應了。

　　我的前男友因為一次運動比賽右肩受傷，成了長期傷患，所以我總是習慣性地站在他的左邊，不給他右肩添壓迫感。

　　拿東西也不會用右手，因為我已習慣伸出右手去跟他牽手。

　　其實我到現在還不習慣稱呼他為前男友，對我來說他是永遠的現在式，但原來即使像銘刻進基因裡一樣篤定的信仰，居然也會有改變的一天。

　　「對不起，我也沒想過會這樣。」那天前男友哭著對我說。

「不是你的問題。」

我們是那麼熟悉彼此啊！

我曾經希望當沒事一樣，偶然打電話給他聊聊天，我以為我們即使分手了，還是永遠關心對方，是對方生命中特別的存在。

可是他的回答卻越來越多保留，就算見到面也會露出為難的表情。

我從來沒想過會有他這樣對我的一天。

明明說不是我的錯，為什麼現在痛苦的是我。

「對不起，我女朋友不太喜歡我跟你太常聯絡，畢竟我們已經分手了嘛。」

後來，在我約他出來，送他分手後第一份生日禮物的那晚，他對我說。

從那刻起，痛苦的感覺才一點一滴襲來，像打點滴，漫滿我全身。

在他最痛苦的時候，我看著他哭，還拍拍他的背說：不要緊，我明白。

其實我什麼都不明白。

在我最痛苦的時候，卻沒有人在我身旁。

直至我接受了阿然這個男人。

• • •

看著阿然對我好，我以為我可以一點一點戒掉前男友。

可是當阿然提出我為什麼老是站在他左邊的時候，我的心卻很痛很痛。

今晚，我們本來是順著人潮去看海傍剛亮燈的聖誕燈。

明明，鼓起勇氣跟阿然開始了，明明，一小時前才不再抗拒讓他牽著我的手，我卻始終擺脫不了前男友留下的影子。

我很氣很氣我自己。

我忽然甩開了阿然的手。

他回頭，錯愕地望著我。

「其實我早說了我還沒預備好適應別人。」

他苦笑了一下。

「我也說過沒關係。」

「果然還是不應該接受你的，就當我們沒開始過可以嗎？」
我轉身就跑。

聽到阿然在背後呼喚我的名字，但他沒有追到我。

• • •

其實我根本沒想過會那麼快和另一個人一起。

阿然是跟我公司有合作的小型工作室的設計師，每月至少一
次我要帶著打樣來跟他討論網頁和紙本型錄的製作。每一次阿然
都會過來我公司接我，幫我提重物，他其實大可不需要這樣做，
他的心意我是感覺到的。

阿然條件很好，架一副文青風的圓形眼鏡，笑容帶點孩子
氣，我覺得他根本不需要追女孩，自然該有女生來追他。

我起初對阿然有點顧忌，覺得他是那種到處泡妞玩弄感情
的男人，況且我已有男朋友，想也沒想過接受別人。

於是，我不斷地拒絕他的好意。有一次明知他要過來接我，我提早叫了計程車，抵達工作室才通知他。

阿然跑回來時氣喘吁吁，但終於明白了，他對我的好從此適可而止。

從那時我才開始對他刮目相看，即使被拒絕了，他也不慍不火，工作上的完成度也是百份百，沒有敷衍了事。

後來男朋友跟我分手，我傷心得不去上班，結果是阿然替我把文案交給我同事，才沒讓上司知道我的不負責任。

「失戀已經很慘了，我不能讓你失業，你需要寄託。」我跟他道謝的時候，他說。

那晚阿然請我喝東西，他陪我走遍我跟前度走過的街道，他說陪我走多久都沒關係，我很感動。

「我不敢告訴你，當我知道你有男朋友的時候多失望，恨不得你們會分手，可是看到你真的分手了，這失魂落魄的樣子，我又情願你不分手。」阿然說。

「你可以什麼都不說，牽著我的手嗎？」我提出無比任性的要求。

他伸出手握著我的手，我低下頭，邁開腳步走著。

我可以想像阿然是我的前男友，如果我不想適應別人，或者我可以將阿然改造成他。

　　這個念頭才一湧現就把我自己嚇了一跳，我怎能如此自私？

　　「對不起，我很混亂。」我說。

　　「我知道自己在你心裡比不上他。」阿然嘆了口氣，深深地凝望著我。「但我會努力。」

　　「這不是努力就會好的問題。」我悲傷地說。

　　「給我一次機會，或者你會發現我的好。」

　　問題是，習慣是很奇怪的一件事，當你習慣了一個人的壞，他的壞也會變成好。

　　我沒有說話。

　　阿然送我回家，提議道：「下星期聖誕燈就亮燈了，是我公司做的，我有 VIP 證，一起去看好不好？」

　　「再說吧。」

　　結果我耐不住寂寞，我赴約了，接受了阿然，卻又在同一晚逃離了他身邊。

「公司要給每個合作廠商送禮物，這次交給你可以嗎？」年末的時候同事把這差事交給我。

我一個人去逛百貨公司時，碰到了前男友。

起初，我居然認不到他，因為他穿著以前絕不會穿的粉藍色毛衣。

有個女人叫他的英文名，我才本能地回過頭去，女人給他看一件家飾品，他聳聳肩表示沒有意見。

女人把家飾品放下，跟他牽著手走到店的另一處，繼續看東西。

她竟然站在他的右邊，一點也沒有要避開他舊患的自覺，太不體貼了吧！

他們終於選定了禮物，走向收銀台。

當收銀員問他們想要哪張包裝紙的時候，他們同時舉起手，指向同一款包裝紙。

然後兩人很有默契地相視而笑。

不知道的人，一定會以為他們已經相戀很久。

我和他一起經歷過的一段歲月，我那麼看重的默契，竟然這麼容易就被取代了，沒有留下半點影子。

他們付完錢回頭，他發現了我，有點尷尬。

他跟女朋友低聲說了幾句，她滿不情願地走開。

他腳步遲疑地走向我。「嗨，這麼巧，你也來買禮物？」

「她就是你的新女友？」我沒有回答他的問題。

他更窘了，我多懷念他的每個表情。

以前，遇到別人做了令他尷尬的事情，他就會露出這個表情，然後等那個人走開，才跟我一起笑。

我走開後，將會成為他們討論的對象吧。

「嗯。」他只點點頭。

「毛衣很適合你。」我說。

「以前是比較少穿這個顏色。」他明白我的意思。

「右手最近還痛嗎？」我問他。

他如夢初醒那樣，動了動右手胳膊。

「老樣子。」他收到女友暗示：「我得走了。」

我看著他和女友離開的身影，過了許久才低聲說了句：「Happy New Year.」

他已經完全適應了另一個人了。

・・・

　週末的時候，阿然來我家看我，在樓下的茶餐廳等我，說反正無聊。我脂粉不施，披了件外套就赴約了。

　「據說你們這兒這家茶餐廳脆皮西多士很出名，我想試很久了。」阿然興致勃勃地說。

　他很厲害，就當看聖誕燈飾那天的事沒發生一樣。

　本來沒精打采、滿心愧疚的我，被他這麼一說，立即拿起菜單看。

　他把臉靠向我，原來是要指給我看，那兩行小小的字。

　「你看，脆皮西多士和炸西多士，是不同的。」阿然笑說。

　「我不知道菜單有這東西。」我意外地說，我看東西一向不是很清楚。「西多士不就是炸的？有什麼分別？」

　「叫來看看就知道了。」

　阿然每種西多士點了一份，他點的咖啡，一茶匙糖也不放。

　我想起前男友喝咖啡一定會下三茶匙糖，我幾乎已反射性地拿起砂糖罐的銀色小匙要替他加糖了。

　「不會很苦嗎？」知道他不需要加糖，我問他。

　「苦，但會習慣的。」阿然看著我說。

我先是無力的笑笑，然後有點感動地，再用力笑了一個。

脆皮西多士來了，原來是比一般的西多士多了一層油炸脆皮。

「原來就是這樣嘛！」他跟服務生大哥說。

「不然你以為怎樣？」服務生大哥聳聳肩回話。

「早該想到了！」

他跟服務生大哥閒聊的樣子就像是這裡的老街坊一樣。

「你呀，沒睡嗎？黑眼圈都出來了。」吃了一半之後，他問我。

「我很沒用。」我哽咽著說：「他已經把我的一切清洗了。」

「不會的，沒有人可以完全忘掉另一個人。」阿然篤定地說。

我看著他。

「愛一個人的時候，我們不知不覺變成了對方，有人說是失去了自我，我不覺得，我覺得可以遷就自己喜歡的人是幸福，是在自我上添加了許多屬於對方的東西。所以你才不想適應別人吧！因為如果要你把這些東西捨棄，等於割走你心上的一塊肉，我明白的，我也失過戀啊。」

我低頭笑笑，感激他如此努力。

「我中學時的初戀情人，到現在都是朋友啊，最初分開時，她也不肯跟我來往，可是過幾年想法便會改變，她發現只有我跟她聽同一個外國歌手，那歌手每次出專輯她都會興奮地告訴我，所以真心交往過的人不會留不下任何痕跡，只是這些痕跡需要時間去體會，真的。」

「是這樣嗎？」我從心底顫了出來。

他推了推眼鏡說：「那晚你一走，我花了好幾天，終於想通了，我覺得呢，你要先習慣自己一個人，然後才可以去習慣另一個人，所以啊，我今天不是來追回你啊，只是陪你習慣一個人的生活。」

幸好他這樣說，我緊繃的肩膀到現在才鬆了下來。

「其實很多事情習慣了同一個角度看，以為理所當然，其實就算是近在咫尺的東西，也有很多未發掘的地方，重新習慣，或者沒有你想的那麼可怕。」

「謝謝你，我沒有你想的那麼堅強。」我遺憾地說。

「那就假裝。」他諒解地說：「真的，假裝堅強，慢慢你就真的開始變堅強了，這世上誰不是這樣？如果非要習慣一件事，不如習慣堅強。」

我忽然問他：「我可不可以試戴你的眼鏡？」

「好啊。」

他把眼鏡拿下來，輕輕架在我鼻樑上。

我以為我會暈眩，但我沒有。

其實自中學開始我就有輕微近視，只是一直不肯戴眼鏡。

我重新看了四周一下，然後又看看他的臉。

這就是他說的換一個角度嗎？

我還是習慣他戴眼鏡的樣子多一點。我居然已跟他建立起習慣來了。

甚至渴望有幽靈從被窩

浮雕出一段人體

把五嶽變身高原

與陰氣妥協

誰叫人總愛

獨霸雙人床上的江湖

要像鐵木真放下大漠

回歸單人的塵土

才沒有左傾的孤獨

左右手 ——

棉被

如山巒起伏

隨輾轉反側而變態

左岸忽然潮漲成華山

無人論劍

就只能眼看右邊失陷成絕情谷

等上十六年

也不能等到綴在上面的花兒吐香

寂寞不是虧心事

故無所懼

林夕十九首　　|第八首

track 08 ——_ 約定

原唱／王菲
作詞／林夕　作曲／陳小霞

還記得當天旅館的門牌
還留住笑著離開的神態
當天整個城市那樣輕快
沿路一起走半哩長街

還記得街燈照出一臉黃
還燃亮那份微溫的便當
剪影的你輪廓太好看
凝住眼淚才敢細看

忘掉天地　彷彿也想不起自己
仍未忘相約看漫天黃葉遠飛
就算會與你分離　淒絕的戲
要決心忘記　我便記不起

明日天地　只恐怕認不出自己
仍未忘跟你約定假如沒有死
就算你壯闊胸膛　不敵天氣
兩鬢斑白　都可認得你

還記得當天結他的和弦
還明白每段旋律的伏線
當天街角流過你聲線
沿路旅程如歌褪變

忘掉天地　彷彿也想不起自己
仍未忘相約看漫天黃葉遠飛
就算會與你分離　淒絕的戲
要決心忘記　我便記不起

明日天地　只恐怕認不出自己
仍未忘跟你約定假如沒有死
就算你壯闊胸膛　不敵天氣
兩鬢斑白　都可認得你

就算你壯闊胸膛　不敵天氣
兩鬢斑白　都可認得你

| o8

　　在機場的候機室，我一手拖著隨行的公事包，一手呷著外帶咖啡，仰望著落地窗外的天空，飛機的班次比幾年前頻繁了許多，天空很擠吧。

　　跟我一起出差的女同事掛了電話回來，她兩眼通紅，但故作鎮定。

　　「跟男朋友分了？」我問，我略知此事。

　　「分了。」她抽了一下鼻子。「明知有限期，為何還要開始？」

　　聽說她喜歡的男孩半年後就會跟家人移民，她認為乾脆分手不用拖拖拉拉更好，大家都可以有個新開始。

　　我沒有意見，把咖啡喝完，想動手去丟垃圾時，耳邊卻彷彿響起雪兒她那活潑的聲音反問：

　　「人會死，難道就不用活嗎？」

我微笑，甩了甩腦袋，但又有點不捨，真的許久沒想像得這麼清楚了，雪兒的聲音。

我記得的，一直只有隨身碟上留下的錄音，錄音以外的對話，我好怕有天會忘得一乾二淨，還有許多話，我覺得她只是沒來得及說出口，她的答法，我瞭然於心。

明知有限期，為何還要開始？

坐上客機，我仍然停不了思索這句話。

一定有原因吧，雖然那樣好像很傻、很沒道理，但是我們誰不曾以為自己可以衝破某個限期呢？

● ● ● ●

「喂，可不可以做我的男朋友？」我永遠都不會忘記雪兒輕描淡寫的這一問。

那年暑假，我們都在同一家補習班做兼職老師，所謂老師不過是監督小學生把功課做完、等父母下班回家的角色罷了，任何中學生都可以做到，要說條件，應該得有耐性吧，這點她是不稱職的，她應該是我見過最沒耐性的女孩了。

今天送走學生後，她走向打開保管箱正收拾東西準備離開的我，說了剛才令人震驚的一句。

「欸？」我本來想問「為什麼？」但又怕這樣問不夠酷。

「一個月後。」她一隻手拿著本來給孩子吃的棒棒糖，一隻手拿出手機，在日曆上數算著，她的神色一點也不像告白。「不，正確算是二十九日，我要去美國讀書了。」

「恭……恭喜你。」

「有什麼好恭喜的，誰叫我考不上本地的大學，不像你，只好又花家裡錢。」

「不過，兩件事有什麼關係？」

「我聽說美國的小孩都很早初戀的，如果我過去連一個男朋友都沒有，一定被人笑死了，你就在這期間當我的男朋友如何？」

「但這有什麼用？我又不能跟你過去。」

「Experience!」她瞪著我，怪我不明白那樣翻了翻白眼，然後又說：「你跟我一起建立戀愛的回憶就夠了。」

「那為什麼是我？」

「你有女朋友嗎？」

「哪有？」

「你覺得我很醜嗎？」她又問，把一束頭髮塞到耳後，眼睛望向別處。

「一點也不。」

她回看我，對我的回答不太滿意，嘟起了嘴。

「我覺得你挺漂亮的。」

她這才笑逐顏開。

「所以，你沒有拒絕的理由了。」

她說完把舐過的棒棒糖塞進我嘴裡，我感到大難臨頭，但又有一絲興奮。

「第二十九天。」她打開手機錄音功能說。「他答應做我的男朋友了，而且他還剛讚我漂亮。」

「為什麼不是第一天？」

「倒數啊。笨蛋。」她輕輕敲了一下我的頭。

這就是我們之間一場回不了頭的約定。

● ● ●

接下來的日子，我們便談了一場倒數下的戀愛。

她介紹我給她父母認識，並告訴他們我們半年前已開始在交往。

經過雪兒編造的故事，我有時空錯亂的感覺，一切都很新奇，又充滿驚喜。

雪兒家原來挺富有，住兩層高的透天厝，她媽媽似乎挺喜歡我，但又同時因為他們送走女兒而替我可憐似的，她的眼神充滿慈愛及同情。

「你們年紀還小，很多事情可能不懂處理……」她母親語重心長地對我說，我本來以為她是叫我努力克服分開兩地的問題，哪知她只是說：「別給大家太大壓力，做朋友就好了。」

「嗯。」我只笑笑，吃著她親手造的餅乾。

回頭才發現雪兒在樓梯上看著我們聊天，她在偷笑。

「你們挺和氣的，好像一家人一樣。」她說。

倒是她母親尷尬起來，催促她說：「真的不要爸媽陪你去買行李箱嗎？你們兩小口去，我不放心，要買的東西你都記得嗎？Dr. Li 說⋯⋯」

　　「別總是聽你那個博士朋友說，你要對我多點信心啊！我自己需要什麼自己知道。」她踮著腳尖下來，拉起我說：「我們出發吧。」

　　「倒數第二十七天。」她又開始錄音。「今天是我們買行李箱的日子，還有床單啦、枕頭啦⋯⋯」

　　「枕頭也要？」我嚇了一跳。

　　「當然要，宿舍真的什麼都沒有啊。」

● ● ●

　　接下來倒數的二十六日、二十五日、二十四日⋯⋯她會親暱地勾著我的手臂，我們像一般的年輕情侶一樣，一起在速食店吃飯，看電影，看近期熱門的展覽，一起逛街，模擬一起為新家添置用品，躺在雙人床上試枕頭，看她裝睡的側面，記住了她合上眼長長的睫毛，只是開心完後總唏噓那個家其實與我無關。

　　她還急著學溜冰，因為她即將要去的地方會下雪。

　　「下雪的時候，你會告訴我嗎？」摔了許多跤、停在溜冰場邊休息的時候，我幽幽地問她。

「為什麼不會？我們是遠距離戀愛啊。」

每次她說起，我總感覺不到她的悲傷，這一切好像只是遊戲，我總覺得她只是想找個人在這個月陪陪她，所謂的遠距離戀愛根本不存在，我為什麼會有那種預感呢？

「如果有男生教你溜冰呢？剛才教練說你姿勢不正確。」

「那我就假裝從來沒有學過，男生都喜歡笨笨的女孩是吧？」她還嘻嘻笑，一點也不考慮我的心情。

我低聲說：「今天也摔夠了，我答應了回家吃飯。」

「喂！你去哪裡？你不陪我了嗎？」

「你也回去陪陪你父母吧？都快走了還天天出來，跟我這假男友玩。」

「什麼假男友？我可從來沒當過你是假的啊。」

「不要拿我開玩笑了，你未走已想著結識別的男生，那我應不應該想念你呢？我真是一天比一天糊塗了。」

「你生氣嗎？」她看起來很開心。「已經想念我了嗎？」

「對不起，我其實是個挺認真的人。」我小聲說：「我不知道怎樣面對別離。」

她又用她最可愛的姿勢，踮著腳向我走來，不同的是她仍穿著溜冰鞋，因此高了很多，她的臉靠向我，飛快地吻了我的唇一下。

　　身邊有人，也有小孩子，我很尷尬，她看到我尷尬，更加開心。

　　之前因為我們開始得太突然，我的感覺一直是很朦朧的，直至兩唇接觸的一刻，我更加肯定，我真的很喜歡她，她走了，我一定會非常不捨。

　　「那麼我答應你，我去到美國，會跟所有人說我在香港有男朋友等我回去。」她說。

　　我很高興她這樣說，她的承諾令整件事感覺真實了一些，不過要追她的人還是會追她，遠距離戀愛就是這麼一回事，將會有很多事情在她身上發生，而我只會成為被知會的一方，一切都是那麼無力。

　　可是面對她的笑容，我卻覺得我應該開心起來。

　　如果不是離別在即，我們也不會開始，我又怎能反過來怪罪離別？

　　「你答應了爸媽回去吃飯，那我也去。」她說。

．．．

　　我們繼續這場與時間競賽的戀愛，一切都很好，找不到一絲瑕疵，直至倒數兩天。

　　雪兒出發前的一天，我以為我們會約定送機的時間，但她那天沒有找我，也沒有出現在我門前，所有訊息都在未讀狀態。

　　我想她可能有事在忙吧！或者也該花時間陪家人吧！或者為出國換了電話？心裡的不安雖然越來越烈，卻仍在癡癡地等她的電話。

　　她一直告訴我，飛機是黃昏的時候起飛，於是最後一天，我一大早準備出門去她家。

　　出門前，卻收到快遞。

　　寄件人是她的名字，她親手寫的筆跡。

　　我在門前拆開包裝紙，那是一隻飛機形狀的隨身碟。

　　我有了不好的預感，那裡面有她昨天整天失蹤的原因嗎？

　　我回到房間，把隨身碟接上電腦，喇叭傳來她柔弱但仍不失開朗的聲音。

　　「我騙了你，其實我只有二十八天，今天是倒數最後一天，我要動手術了。」

她的每個字都清楚傳進我耳窩，但是字與字組合起來我卻聽不懂意義。

　　手術？她好端端的，動什麼手術？去外國唸書要動手術嗎？

　　「其實很久以前，路過補習班的時候，就在窗外看到你，垂著頭耐心地教小孩子做功課，我這輩子最缺就是耐性，從那時候開始我就喜歡上你了。

　　「我猶豫了許久，終於決定來應徵兼職，可以和你一起看管小孩子我超開心，本來我想，一直這樣就滿足了，不過一度以為好轉的病又再次找上我。

　　「Doctor Li 是從小看著我長大的醫生，他說二十八日之後可以安排我做那個說了許多年的大手術，不過成功率只有一半，我和爸媽都決定賭這一把，不過我真的好害怕，所以那天便一鼓作氣，對你說了出國唸書的謊話，你別看我說得輕鬆，其實我鼓起好大的勇氣才敢向你告白啊。

　　「我一直都跟爸媽開玩笑，住醫院的日子，就當我出國去了，『出國唸書』成了我們家『做大手術』的暗號，他們答應讓我好好佈置醫院的房間，讓我懷著開心期待的心情迎接這一天。

　　「本來不想我談戀愛的媽媽，見過你之後卻放心了，而且這個月我每天也很開心，他們以為你是知道我病情的，有幾天，他們還以為是你陪我回診呢。

「我對爸爸媽媽說，如果我再閉上眼後沒醒過來，就當我真的出國了吧！當我認識了好男孩落地生根，再也不回來了，當我是個不肖女，就不會不捨得了。

「你也可以這樣想嗎？如果我明天沒有醒過來，如果我沒有打電話給你，就當我是個負心的女孩，就當我出國後忘了你吧，我情願你恨我，也不想你為我傷心。

「不過，這二十八天，我真的好開心，你呢？

「我閉上眼後，會一直回味跟你的吻，那麼接下來的事我便不怕了。

「謝謝你。我真的很喜歡你哦。」

然後錄音跳到二十八天前的檔案，是我熟悉的雪兒當時那充滿朝氣的聲音──

「第二十九天，他答應做我的男朋友了，而且他還剛讚我漂亮。」

「倒數第二十七天。今天是我們買行李箱的日子，還有床單啦、枕頭啦……」

「倒數第十九天。他陪我去上結他課，沒想到他本來就會一點點，老師走開的時候，他彈了〈約定〉給我聽，我差點忍不住哭了……」

「倒數第十四天。我們接吻了，這是我的初吻啊，看他笨笨的樣子，應該也是初吻吧！」

　　「倒數第九天。我第一次做了便當，我們一起去野餐，可是找了許久也沒找到漫天黃葉的好地方，都成枯葉了，他握著我的手說『等明年吧，你回來，陪我看』，但是……我們還有明年嗎？」

• • •

　　我跑到去雪兒的家，我認為這一定是惡作劇。

　　她的父母剛從外面回來，她的母親哭得雙眼通紅。

　　她抬頭看到我，停下了腳步，哭得更悲愴了，只無力地挨向丈夫，她甚至無法向我解釋發生了什麼事。

　　但我都懂了，沒事的，雪兒出發了，她去美國讀書了，那個聽說會下雪的地方，到處告訴別人「我的男朋友在香港等我」……

　　• • •

　　多年後，每當我抬頭望見天上的飛機，總會想，也許雪兒就坐在其中一班機上，正要回來，她可能會找我，或者我會在某街角碰上她。

　　又或者，她在國外遇上了比我好的人，所以她不回來了，變成了連廣東話也不會講的女人。

　　這些年來我學懂了一件事，人的意志力可以成就許多事。

　　要決心忘記，的確，是可以記不起的。

　　可是，我沒法下定這決心。

隨身碟裡雪兒的錄音檔，我仍不時翻出來聽，包括不經意收錄進去的每一個雜音、我那些沒頭沒腦的回應、她的笑聲、我們腳踏碎枯葉的聲響，一切一切，我都沒有錯過⋯⋯

明知有限期，為何還要開始？

再短暫、再有限的記憶，要是不去開始，就不會存在。

我是不會恨她的，我只是需要更多的時間去放下罷了。

我說商人唯利是圖

續集再續集的戲

要決心牟利也就拍得起

終於遙遠如侏羅紀

仍記得我一個人看第三集漫天翼龍遠飛

這場打賭

我贏了

也輸了

約定
———

還記得侏羅紀公園
我們匆匆吃完便當剛剛趕得上入場
暴龍的吼叫讓你窩在我肩膀才敢細看
你潮濕的指頭握緊我冰冷的手掌
還記得續集的速龍動作迅猛
你在明暗光影裡依然照出一臉慌張
我們打賭
會不會還有第三集
你說凡事有極限
導演聰明的話見好就收

林夕十九首　　│第九首

原唱／陳奕迅
作詞／林夕　　作曲／C.Y.Kong

揚帆時　人潮沒有你
我是我　和途人一起
停頓時　在你笑開的眼眉
望穿秋水之美

回程時　浪淘盡了你
任背影　長睡著不起
留下我　在糞土當中
翻檢背囊　直到拾回自己

掌心因此多出一根刺
沒有刺痛便懶知
就當共你　有舊情沒有往事

如煙　因給你遞過火
如火　卻也沒熔掉我
回望最初　當喪失是得著可不可
可痛若驪歌　樂如兒歌
像你沒來過　沒去過

誰同行　仍同樣結尾
血液裡　才遺傳悲喜
誰亦難　避過這一身客塵
但剛巧出於你

垂頭前　沒緣份喪氣
睡到醒　才站立得起
盲目過　便看到天機
反覆往來　又再做回自己

即使一生多出一根刺
　　　沒有刺痛別要知
就當共你　有劇情沒有故事

如煙　因給你遞過火
如火　　卻也沒熔掉我
回望最初　當喪失是得著可不可
可痛若驪歌　樂如兒歌
像你沒來過　沒去過

如花　超生了沒有果
如果　過路能重踏過
就當最初　是碎步湖上可不可
不種下什麼　摘來什麼
像我沒來過　沒去過

| 09

　　看著坐在路邊欄杆上的阿昊摸了摸兩邊口袋，找不到打火機的樣子，我就慶幸我為此早作預備。

　　「是不是要這個？」我若無其事地把打火機遞給他，其實極力掩飾內心的緊張。

　　阿昊望著我有點錯愕，我雖然加入和他們一起玩，但實際跟他說話並不多。

　　「謝謝。」他聲音真動聽，每次他跟我說話，總好像特別溫柔，是錯覺嗎？

　　我們一行人還在等一個女孩，她叫悠悠，悠悠長得最美，不管遲到多久大家都願意等她。接下來我們會上夜店，如果悠悠不來，我們可能連保全那關也過不了。

　　而我呢？當然沒有這種重要性了。

　　我並不特別喜歡上夜店，但我喜歡被朋友想起來、被需要。

就算只是湊夠人數的角色也沒所謂，因為每次他們只要打電話來，一定說得很動聽。

　　「沒有你怎麼行？」「有你才開心。」明明都是謊話，怎知他們會說得這麼流利，而我又願意去相信。

　　自從有了阿昊之後，我就更沒理由拒絕。

　　過去我就喜歡帥哥，總是敗在有點輕浮的男人手裡，為此吃慣了苦頭，慢慢變得不太受尊重也沒什麼感覺了。我甚至對自己說，我就是喜歡那類人，有什麼辦法？並沒想過要清醒。

　　起初我以為阿昊也是那類人，據說他是拳擊教練，女學徒特別多，他就是一個跟他學拳的女生帶來一起玩的。阿昊也兼職模特兒，在幾個廣告和 MV 上也演出過，不過上電視的時候他跟真人感覺很不一樣，上電視時他比較神氣自信，現實中的他反而較低調，不會搶人風頭。我迷上了他這份的反差感。

而他不一樣的地方是他不會信口雌黃，不會哄我說我很重要，叫了我出來卻又不理我；不會因為我沒所謂就欺侮我、拿我有點肉的圓臉做笑柄。當然，或者他的善良只因為他眼裡沒有我，我太不起眼了。

　　「你怎會有火機？你都不抽菸。」他說，他居然記得我不抽菸，難道他有留意過我嗎？

　　「抽啊！怎麼不抽。」我鼓起勇氣從他的菸包裡抽出一根菸，以練習了無數遍的熟練姿勢點火、吸入，悠長地呼出菸霧。

　　他一直望著我，不置信似的，或是我動作有破綻？

　　悠悠來了，幾個男生向她靠過去，但悠悠二話不說繞住阿昊的手臂。她明明已經有男朋友了，據說在外國留學中，這種女孩腦袋裡在想什麼？我真不懂。

• • • •

　　夜店裡，沒想到阿昊留意到我離群，剛才有個男人一定要請我喝酒，我挺高興有男人會追我，但那男人也太進取了，酒杯甫放在我手上，他的手已摟著我的腰。

　　「喂！我們都在找你。」他忽然出現，沒理請我喝酒的男人，就把我拉到較寧靜的一旁。

我還想喝一口剛才的酒，他一手搶走，潑掉了。

「下了藥，你太沒警覺性了。」

「不會吧？」我完全看不到那人什麼時候做的手腳，但我在這裡找到我需要的東西，至少我有被欺騙的價值。

「信不信由你。」

「你都知道他們的手法嗎？」

他似有難言之隱。「我的朋友，有時會那樣做。」

「那為什麼還跟那些人做朋友啊？」

「朋友，也有很多種。」我喜歡看他這帶點愧疚的神情，他又說：「男孩子，不該太揀擇吧，有時候人脈也很重要，你永遠不知道跟誰一起會遇上什麼機遇。」

「這無分男孩子女孩子吧？你在自圓其說。」

他不打算駁贏我，他去拿了兩枝啤酒，遞給我的時候搭了句：「你不懂得保護自己。」

雖然心底有把聲音小聲說：如果他可以一直保護我就好了……但又覺得他小看我了，我有點不甘心，我反問他：「難道你又很懂嗎？」

他一時愣住，只一笑，若有所思。

「今晚的 DJ 聽說很出名，紐約過來的。」他呷了一口啤酒說，沒有回答我的問題。

我回頭一看，那女生穿一件小背心，一頭紫色金色的鮑伯頭，妝容之濃讓人看不出是什麼國籍的人，只知道她打碟的動作很有自信，連女生也感覺到她的性感。

「酷斃了。」他喃喃自語，好像並不是對我說。

他喜歡這種女孩？如果與她相比，連悠悠也顯得太平凡了，或者他追求的是那麼遙遠的人，跟我們一起也是暫且的選擇。

我真佩服他可以在朋友圈中那樣冷眼旁觀，只拿取對自己有利的事物。他不像我，單純地只怕孤獨，怕無人記得。

「你知不知道她？」他又問我。

我其實不知道，但我假裝說：「還可以啦，但我覺得不及上月日本來那個。」

他輕皺眉望著我，彷彿又在被我騙倒與揭穿我之間猶豫著。

我想回去找我的朋友，他卻叫住我：「先別回去。」

「為什麼？」

他沒有明言，我回頭望去，他們在包廂裡吞雲吐霧，每個人看起來都意識不清。

我們當然知道他們在幹什麼。

「沒關係，我不是沒試過。」我又撒謊。

「不如我送你回家。」他把啤酒乾了，站起來。

我沒理由拒絕，其實我是鬆了一口氣。

• • •

我們來到門口時，音樂漸遠，卻傳來急速逼近的高跟鞋聲。

是悠悠，她呼了我一個耳光。

「就憑你啊？」悠悠罵我。「誰都可以跟我搶阿昊，你就是不行。」

「悠悠，你清醒一點！」他搖著悠悠單薄的肩，真是我見猶憐，他們明明就比較配吧。「我不是你的誰，我現在先送她回家，你聽得懂嗎？別再發飆。」他語氣兇了一點，悠悠不知道有沒有聽懂，她迷迷糊糊地呆站在那裡。

我是哭著離開的。

悠悠的大寶石戒指割傷了我的臉，阿昊到便利商店買了生理食鹽水和 OK 繃，我們坐在便利商店外的地上，他替我把傷口處理好，我靠在他肩膀上一直哭。

　　「你不適合那些地方，你不抽菸，不喝酒，不跳舞，你去那兒幹什麼？」他說我。

　　「我家管得我很嚴，以前每天只懂唸書，我沒有朋友，真的很寂寞，只有他們會找我去玩……」

　　他輕輕摟著我的肩，像一個大哥哥多於一個男人，他也沒有進一步的行動，只是聽著我哭訴。

　　「強裝並不能保護自己，你騙不了人的，不懂裝懂，不能做自己，不是更寂寞嗎？」

　　「你不是跟悠悠一起嗎？」我抬頭問他。「她那麼漂亮。」

　　「不過有時太小姐脾氣了。」那麼說來，他們之間已是交情匪淺。「況且她不是有男友嗎？」

　　「可不可以讓我抱著你一會？」我說。

　　他沒有反對。

　　我雙手抱住他的脖子，把臉靠向他胸口，又再哭了一會。

雖然在哭，但卻是為往昔而流，我其實覺得很幸福，我永不要忘記這一夜，這家便利商店的燈光給我的感覺。

● ● ●

那之後我們沒有再聯絡。

倒是悠悠曾發語音訊息跟我道歉，說：「對不起啊，你知道我那天神志不清。不是故意的啦。」

連那麼受歡迎的悠悠也拉下臉主動跟我道歉，我真的心軟了。

「除夕夜再找你去玩。」她說。

我真心期待著，即使那群人不是真朋友，也沒關係，我不想獨自過新年。

除夕夜，直到十一時四十五分也沒有人打電話給我。

我終於承認自己是出局了。

我鼓起勇氣打電話給其中一個比較熟的女孩。

電話打了五次，她才總算接電話。

「是阿昊叫我們不要找你的。」

「是他？」

我真想罵他，為什麼叫他們別找我，枉我還當他是朋友，跟他講真心話……

• • •

當然後來，那段日子跟記憶中很多其他往事一樣摻雜在一起，我失去了那群朋友，也就逼著展開了新生活。

機緣巧合下，我進入了一家以年輕人為對象的生活資訊網站做編輯，因而走訪的是咖啡店、素食店、精品店、爵士樂小酒館，總之跟以前那段日子出入的地方完全是兩個世界的事。

就像我從來不懂這世上還有另一種生活方式，就像我從來沒目睹過追尋另一種快樂的人，就像我單純無知，從未被污染，從未受動搖。

公司的同事很合得來，下班放假也會一起出去玩，我許久沒有落單的感覺了，有時反而想一個人靜一下，別人約我也不一定出去；跟我拍擋的男生也對我很好，雖然對他不算有心跳的感覺，但相處起來很舒服。我想我很快會接受他。畢竟深心裡我是個極軟弱、怕寂寞的人，雖然別人看不出來。

但至少，現在的我醒覺到，有時你以為自己只喜歡一類人，但其實不一定是這樣，這世上一定還有更適合自己的人，只要別太固執。

　　工作太靜態，閒時我有去學拳擊。誰也沒想到是因為曾有人跟我說那一句話：「你不懂得保護自己。」

　　學了一年多，從來沒想過會再遇上阿昊，因為我聽說他已經不教拳擊了，模特兒的工作好像發展不俗，也當過微電影的第二男主角，順利的話應該會進入娛樂圈吧。

　　在拳擊館的自動販賣機前碰到阿昊在纏拳，我很意外。

　　他抬頭看到我，想了一會，才認出我。

　　「許久沒見。」他跟我打招呼。

　　「是啊。」我笑笑。

　　我曾經怪他讓我失去了當時最看重的朋友，但事過境遷之後，才發覺因為他，一切都以適合我的步伐，重回了正軌。

　　「居然會在這裡遇上你，你這一身裝束還真的與記憶中的你太大落差。」

　　「我打拳有一年多了。」我說。

　　「你的臉⋯⋯」他好像不知怎形容。

「我沒有整形,做運動,瘦了。」

他笑出來。「不是,我是說,那個傷口沒有留疤吧。」

他還記得,我也為自己的誤會笑出來。

「你技術好,沒有留疤。」

他沒有問我現在做什麼工作。

我也沒有說我仍留意他。

我的手機響起,是男同事找我。

「有空喝一杯。」他說,不過我知道只是客套。

我點點頭,揮揮手,輕輕轉過身。

我發現現在的自己表現淡定得多了,就算內心緊張無比。

這次騙倒了他嗎?能讓他以為我已許久沒將他放心上嗎?

其實我早已換了電話號碼,他不會找到我。

我們之間可以回憶的事情不多,但我仍然記得那一晚,在我的要求下,他讓我抱著他。

人與人之間的來來去去真的很奇妙。

他這個人其實從不算進入過我的生命，所以後來也不能說是離我而去，但我對他的感覺卻是那麼深。

　　他只是為我付出過一點點微不足道的熱忱，卻扭轉了我人生的方向。如果他不曾狠心為我做決定，我的人生大抵會任由不關心我的人擺佈。

　　雖然我和他不會再有什麼瓜葛，我甚至懷疑那個擁抱在他腦海中是否一如我記得的那樣。

　　但我一輩子感激他，是他讓我在那個時間點，不被自己的寂寞吞噬，仍然可以做回我自己。

不來也不去——

「
永遠活在⋯
你
？
」

原唱／**楊千嬅**

作詞／**林夕**　　作曲／**蔡德才**

越過生死一刻跟你電單車之中峽路再相逢
大概你嘴邊傷口與我髮端都一般大紫大紅
下半生不要只要下秒鐘
再不敢吻你你便再失蹤
抑或有　誰高呼　不要動

未怕挨緊頸邊穿過橫飛的子彈跟你去走難
但怕結婚生子的平庸麻木地活著亦一樣難
若與不心愛的每夜晚餐
也不知哪個故事更悲慘
只願我　能夠與你過得今晚

世界將我包圍　誓死都一齊
壯觀得有如　懸崖的婚禮
也許生於世上　無重要作為
仍有這種真愛會留低
（仍有這種真愛耀眼生輝）

我已不顧安危　誓死都一齊
看不起這個繁華盛世
縱使天主不忍心我們如垃圾般污穢　抱著你不枉獻世

別理三餐一宿得到牧師的祝福需要那種運
讓我滿足於飛車之中抱緊苦戀的做一類人
面對這都市所有霓虹燈
我敢說我愛到動魄驚心
不負你　陪過我剎那的興奮

世界將我包圍　誓死都一齊
壯觀得有如　懸崖的婚禮
也許生於世上　無重要作為
仍有生死之交可超越一切

我已不顧安危　誓死都一齊
愛得起你　為何還忌諱
也許出生當天本以為誰待我像公仔
最後卻苦戀螞蟻

難自愛都懂得怎相愛
找得到一個人共我分享這身世
還未算失禮

| 10

　「下星期的預約你看一下，會不會太滿了？」經理把我叫
到櫃台前，翻開登記給我看。

　「沒關係，我做得來。」我說。

　經理憂心忡忡地望著我，我知道她想說什麼。

　「阿彩，你真的要等他嗎？」

　我連忙堆起笑容打斷她：「下月五號無論如何要讓放假啊。」

　經理沒再說什麼，只點點頭表示明白。

　「接下來交給我整理就可以了。」我明明應該很累的，卻
仍能打起精神，轉過身為打烊作收拾。

　我這輩子從來沒有這樣拚過，讀書時也是個懶散的學生，
整天只顧著談戀愛，但是直至遇上阿銘，我才有了找到真愛的覺
悟。

可是現在他卻不在我身邊。

不要緊，我絕不讓自己氣餒，只要想到下月五號，我什麼都做得來。

● ● ●

我在這美甲店已工作了三年，是全公司最勤勞的一個，雖然這裡只有幾個人，就算勤勞也不會升等或有獎金，但我還是不想讓自己閒下來，偶然還會幫臨時有約會的同事代班，連一週唯一的休假也回來上班，反正我不用趕下班跟男朋友談戀愛，我的男朋友阿銘在監獄裡，讓我一個人在家，也只是孤單難過而已，反而，看到別人成雙成對，我能對自己說，很快我和阿銘都可以這樣，到時我想多見他幾面，同事們該不會拒絕吧。

下月五號，是我期待了一個月的日子。下班後，我好不容易有了購物的目標，支了薪水，應該買新衣服，讓阿銘眼前一亮。甫從衣架上拿起一件衣服，立即又想到，不，不應該太花枝招展，不然他會擔心的，雖然他很粗枝大葉，但內心還是很敏感的。

　　我轉向文具店，買了繪畫用的水彩，這是事先申請獲得批准送他的東西，我叫彩，他說沒什麼能為我做，在裡面會用水彩畫我的樣子，畫完寄給我，我每次收到都好開心，起初他畫得不好，但近來已像模像樣了。

　　很幼稚吧？不過這就是屬於我們的浪漫。

· · ·

　　「你男朋友犯了什麼事？」有次一個新入職的女同事下班時跟我聊天。

　　我只搖搖頭說不太清楚。

　　「不想說不要緊，是我八卦。」女同事笑笑自掌嘴巴，跟我分道揚鑣。

　　我聽過一些閒言閒語，說不要得罪我，說別看我斯斯文文，其實我是黑道老大的女人，這也太誇張了吧。

　　其實，我不是不肯說，而是真的不知道他犯事的詳情。

自他被警察帶走那一天起，他就拜託兄弟跟我說，不管他做了什麼，他對我都是認真的。

　　我認為這是他不想我知道太多的意思，如果他覺得這樣對我們較好，那就這樣吧。

　　我沒有看新聞，更沒有上法庭。

　　「判了六年。」後來他的兄弟告訴我。

　　「告訴他我可以等。」我只是說。

• • •

　　其實我真的不介意他坐牢，那樣至少我不用擔驚受怕，不知他在哪裡、跟什麼人一起、在做什麼事啊。

　　或者別人眼中阿銘沒什麼好，但我也不是什麼千金小姐，我也只是極平凡人家的極平凡女兒，但他卻當我是公主。

　　他讀書少，我只是比他多一點點，這又不影響我們交往。

　　阿銘從小在社會上打滾，沒有他不懂的事，也沒有他不敢做的事。

　　我根本不需要知道他犯的是什麼事，知不知道，又有什麼分別？

　　我只要知道他是世上最疼我的人，不管發生什麼事他都會保護我，他是個好人，是世上最珍惜我的人，這就夠了。

• • •

　　說句老實話，阿銘入獄後，我不是沒有和別的男生嘗試交往過。

　　畢竟，我真的好怕寂寞，好怕自己再不值得別人對我溫柔。

　　舊同學介紹的男生，連名字我都想不起來了，他約我出去吃飯、看電影，很容易就說喜歡我，誇我漂亮，在電影院裡一邊問我下一次約會的事，一邊有意無意地觸碰我，我的職業讓我不管面對誰都能禮貌地回應，可是他讓我不安，他每一次碰我，我都覺得對不起阿銘，會在心裡為阿銘難過。

那個人送我回家的路上，我們要穿過晚上特別幽靜的行人隧道，在那裡一個中年男子迎面而來，起初我們不以為意，陌生男子來到我們身邊時，突然亮出小刀。「手機、錢包拿來——」那個陪了我一整天、說會好好對我的男生，居然把我推向賊人，自己躲在我後面。

　　我的手機不值錢，但裡面有我和阿銘的珍貴合照，我寧死不給賊人。

　　也許我一個女兒家跟賊人拚死搏鬥的慓悍嚇壞了賊人，最後他竟然什麼都沒搶就落荒而逃。

　　送我回家的男人臉色發青地望著我。「你……你……流血了……」他雙腿一軟，跌坐在地上。

　　這時我才發現自己的手被割傷了，血流如注。

　　「站起來吧，你哭個什麼……」我還懂得罵他，真沒用，是不是男人。

　　很痛，可是沒有大礙。

　　如果是阿銘，一定不會把我推向別人，也一定不會讓我受傷。

還記得最初認識阿銘，就因為我到酒吧喝酒時，跟某個不相識的人碰撞了一下。

　　還沒搞清楚狀況，就被那個男的推撞、指罵，還好像想拉我走，嚇得我哭起上來。

　　是阿銘替我解的圍，他看不過眼替我對付那個男人：「我分明看到是你先撞到這位小姐，是要惡人先告狀嗎？」

　　那男人起初也不買帳，阿銘勇武地拿雜物砸那個人，結果那人落荒而逃。

　　如果不是阿銘，我不敢想像那晚會發生什麼事。

　　在我眼裡，他一點也不兇，反而很溫柔。

　　那之後，有次再在街上喝醉了，我打了他給我的電話。

　　他果然立即來接我，陪我聊天，教我解酒的方法，而且很規矩送我回家。

　　回家時，一如預料，被繼父罵個狗血淋頭。

　　「晚晚出去玩，不潔身自愛，看你有什麼下場！」

　　沒想到阿銘代我回了話：「她不自愛，有我愛她就行了！」

　　從那天起，我跟定他了。

如今我弄到浴血街頭，都是我考慮別的男人的報應吧。

從那天起，我把所有時間獻給工作，真的沒工作了，還去進修，總之不可以讓寂寞成為背叛阿銘的理由。

● ● ●

終於捱到了五號，可以去探阿銘了。

可是我一個人在位子上等了許久，眼看其他探監的親屬都等到想見的人了，阿銘遲遲沒出現。

我看看時鐘，時間本來已是多多都不夠，他還磨蹭什麼呢？難道他不急著見我嗎？我們已許久沒見了啊！

「小姐，別等了，他說不想來。」懲教人員對我說。

我傻了眼，這人一定是騙我的。

「他怎會不想來？怎會不想見我？你告訴他是我在等他吧！」

「已經說過你是誰了，他說不想見。」

「怎麼可能？」

「這個我不清楚。」

我仍舊執著地坐著，上幾次我來探視他時，還是很正常的啊！

他到底在想什麼？

探訪時間結束，我還是沒等到他現身。

我手中握的水彩盒被我壓得微微變形。

我在位子上抽抽答答地哭起來，沒有人安慰我。

到最後我只能把那盒水彩交給懲教人員，轉交給他。

• • •

「我不是要銀色石，要金色石呢！」客人不滿抱怨。「很對不起，我幫你再做一次。」「我趕時間嘛，怎麼搞的？」

經理也過來幫我打圓場，跟客人聊起孩子的話題，客人才稍為能接受些。

客人走後，經理並沒有罵我，而是語重心長對我說：「我不是說了嗎？做太多客不行的話告訴我，不要太勉強，被人投訴就不好了。」

「對不起，沒問題的，我會注意。」

自阿銘不肯見我，我整天都在憂心他，工作效率大幅下降，這已不是第一次遭客訴了。

之後讓我幫忙代班，只為了跟男朋友見面的同事，這時候不但沒安慰我，還在背後說我留下爛攤子讓她們聽客人抱怨。

算了，我現在只一心等阿銘的兄弟回覆我，到目前為止，我找過幾個人，都沒有人肯聽我電話。

手機終於響起，我躲在洗手間聽。

「你們有沒有人探過阿銘？」

「有是有……」對方欲言又止。

「他有沒有事？是不是在裡面被人打了？所以不讓我見？」

「沒有的事，他都一樣啦，在裡面沒什麼可以不一樣……」

「那他為什麼忽然不見我了？」

「他都是為你好吧。」對方猶豫了一會，我一直等著他說更多，但他說有事在忙，匆匆掛斷了。

為我好？

以前我都懂得阿銘為我好的方式，但這次我越想越不明白。

以前就算我不明白，我也會照做，可是今次我卻連應該乖乖做什麼都不知道。

• • •

這段日子，每一天都過得好漫長。

工作已經沒有意義，只是變成機械性的例行動作，我也越來越沉默，客人問我意見，我也分不出什麼是美。

賺錢有意義嗎？讚美有意義嗎？沒有阿銘，一切還有意義嗎？

　　為什麼阿銘這麼殘忍？我情願這輩子等一個真愛的人，也不願無人可等、漫無目的地過活。

　　他不是答應了我，即使我不自愛，也會愛我嗎？

　　我可是一直靠著這句話活過來的啊！

• • •

在下一個探視的日子前，我突然收到阿銘給我寫的信。

我好開心，這輩子從沒收過情信，而且阿銘中文不好，不會寫信，字寫得很醜，很孩子氣。

我還沒到家就急忙拆開信，手在發抖，又害怕撕開信封時弄壞了信紙，我心狂跳不已。

終於，阿銘的字跡映入眼簾。

彩：

我坐牢，你一定很寂寞吧。

每次見面，聽到你滔滔不絕地說著自己的事，我都有這種感覺。

上次你不是說，有個朋友做美容貿易生意的，常常飛日本，他送你美甲的日本書，讓你大開眼界嗎？你還說，想去那邊上些短期課程，但因為捨不得我，才沒去⋯⋯

我問你那個人是不是男人，你說不，是女人，我一聽就知你撒謊了。

以後，你要隱瞞我的事只會越來越多吧？

之前我一直覺得，坐牢沒關係，只要我知你心裡有我。

但如今，我想法有點改變，我在這裡日子過得很慢，相信你在外面也不好過。你不等我，我明白的，但別對我說謊，那樣我會感覺和你很遠，比這裡跟外面更遠。

你還是，別等我出來了，我這種人，這個身世背景，不想連累你，你是個好女孩，應該過上好日子的。

所以，你別再記掛我，也別來了，這種地方你不該來的，我不會再見你了。

希望你找個對你好的男人，以後都開開心心。

銘

● ● ●

淚不住地滾下我的臉龐，我再讀了一次、兩次、三次，不管讀多少次，我都不明白為什麼會這樣。

因為我是個好女孩，阿銘不想要我了？

我從來不要做什麼好女孩，我只是要做他的女孩罷了。

• • •

　　「下個月五號，記得我要放假啊。」我輕描淡寫地對正在安排人手的經理說。

　　然後就繼續埋首，收拾桌面，拿出樣板，讓待會兒上來的客人挑選樣式。

　　經理笑著說：「像阿彩你這麼長情的女孩子，如今應該絕種了。」

　　我只抬頭看了她一眼，回報以禮貌的笑容，並沒有回答。

　　下個月五號，一如既往，我還是會繼續去看他。

　　直到他願意再見我為止。

一生若只是在尋找願意一起吃苦的人

你不是

我本來也不是

傳奇的是

我們戀愛

我們結婚

而不敢生子

飛女正傳

正正得正負負得負負得正

我倆怎麼加減乘除

仍然是窩在套房裡的廢青

兩個人吃的苦會比較甜

一個人吃甜也不見得苦

沒有愛情也不見得有麵包

如果可以選擇

沒有蛋糕的愛情不見得更壯觀

track 11 —— 我 敢 在 你 懷 裡 孤 獨

原唱／劉若英
作詞／林夕　　作曲／木村充利

誰不曾忙碌　忙完就喊孤苦
只因落單了　就忘了　這叫無拘無束
你也會渴望　沒任何人束縛
在沒觀眾的　王國裡　表演我行我素

歸宿不是護身符　攜手一樣會迷途
你我何必要害怕　迷路　忘了　迷路
是自由自在漫步

我敢在你懷裡面對我孤獨
傾聽你心跳　跟自己傾訴
我倆早已不用　刻意練習共處
你也會　我也該　要跟自己相處

我怕失去了你也不怕孤獨
因為你不是打發寂寞的節目
你是　我的　禮物　我也捨不得做　你包袱

我想你也懂　人需要被呵護
可偶爾會想　被放逐　在自由的國度
愛我就明白　只有我最清楚
有些心情　像一本書　要親自去閱讀

陪內心的我感觸　是每個人的天賦
和世界保持距離　想這　想那　想要
保留無人的淨土

我敢在你懷裡面對我孤獨
傾聽你心跳　跟自己傾訴
總是數一個人　兩個人　的好處
想不起　和自己　怎樣同甘共苦

我怕失去了你也不怕孤獨
因為你不是打發寂寞的節目
你是　我的　禮物　就像我　很珍惜　我最初

我敢在你懷裡面對我孤獨
傾聽你心跳　跟自己傾訴
總是數一個人　兩個人　的好處
想不起　和自己　怎樣同甘共苦

我敢在你心中享受我孤獨
我的堅強和你柔情沒有衝突
有你　我很　幸福　就像我　擁有我　很滿足

| 11

　　這次回香港的十天假期,我還是到最後一天才鼓起了勇氣
約一位舊同學見面。

　　阿希是從前跟我感情親如兄長的同學,個性沉穩思想成熟,
很能守秘密,和他一起心情自自然然會放鬆,當然異性緣很好,
但跟我之間卻是絕對的純友誼,我非常珍重這段友情,從他口中
說出的話總無法置若罔聞,所以才一直猶豫,要不要約他。

　　他聽到我的聲音非常高興,很快就提議了一間新派南美菜
餐廳,我去到的時候他已在餐廳的露台上等我,還起身幫我拉椅
子。

　　「不用跟我客氣啦!」我笑笑說。

　　「要的要的,你終究是個女孩子。」

　　雖然是簡單的禮儀,但我竟然有點感動,也許是一個人堅
強了太久,而他又是這麼熟稔的人了,我不怕在他面前稍為軟弱
一下。

阿希穿著素色的襯衫，三十出頭了，仍然保持少年的清瘦，如今的他竟驀地讓我想起最初跟你認識的時候，你就是他現在的年紀。不知不覺，我跟有妻子的你已拉扯了十多年，我也已經不再是一個少女，看看如今的我，習慣了穿寬鬆的褲子和不合潮流的舒適球鞋，完全與女人味無緣。

　　阿希一直打量著我，我只好低頭看菜單，笑說：「你知道我都不懂吃的，不用來這麼貴的地方啦……」我就知道他會問什麼，果然，服務生為我們倒完水後，阿希就問我：「你還跟那個男人一起嗎？」

　　「是呀！」我發現連自己的輕描淡寫和笑容都是機械性的，被問了太多次，我連對應的方式都想好了，但阿希沒其他人好騙，他太了解我了，他眉頭輕皺，我也愧疚，如果連他我也不能坦白，又何必見面？

　　「那他對你好嗎？」阿希問。

想到這，一陣心酸，我知道只有真正關心我的人會直直指出問題的核心。

曾經我以為自己是個與眾不同的女人，從一開始我就沒想過要男朋友對我好，我一直認為只有忠於自己的感情就是幸福，別的事情根本不重要，只有心裡有對方就不會覺得孤單，但原來我是錯的。

「他不好，他這個人最討厭了。」

• • •

實在沒法說出你有什麼好，但十八歲那年第一眼看見你，就認定了你。

我一個人去外國唸書，什麼都不懂。在當地唯一的親戚受父母所託要照顧我，但只幫我找了一間破公寓就沒理我，我也樂得自在，本來就是為了逃避家裡出來的，當然不想跟親戚有牽扯。親戚在電話裡說：「朋友有個兒子住在你那區，我已打過招呼了，有事可以找他幫忙。」我唯唯諾諾也不太在意，終於有次趕著去大學面試，卻一直等不到公車，只好打電話給你求助，第一次聽見你的聲音：「我現在就開車過來。」你的聲音太好聽了，為了平息自己的心動，跟自己說，聲音這麼動聽的人樣子一定很醜……哪知道你開著車來到，一看，雖然是個比我年長很多的大人，樣子也不是超級帥，但氣質超群，簡直像夢裡走出來的人，自此我便死心塌地的愛上你。

當時你已有妻子，你們因為有了孩子，二十出頭就結婚了，但妻子跟孩子留在香港，一年才過來看你一次，如果有整整一個月你不找我，我就知道你妻子來了，那個月裡，你不屬於我，而我屬於我自己，這也不是壞事。我一個人去外國讀書本來就是想自己成為一個獨立的人，但太快便認識了你，我對自己說，你不理我時我可以學習獨立，沒有因為愛情遺失初衷，不是很幸福嗎？這可能才是最適合我的戀愛方式。

我從沒問你跟妻子處得怎麼樣，也沒要求過你離婚，我希望我們之間的是愛情而不是包袱。但我有身為第三者的自覺，我不想墜入破壞別人家庭幸福的女人的典型，為了證明我們之間是真愛，我越來越不修邊幅，越來越不像一個女人，在工作的地方辦事能力也比很多男人優勝。那時候年輕，即使不打扮不保養還是漂亮又帥氣。那時我天不怕地不怕，覺得不去想將來的自己瀟灑到不行，想想還在香港中學裡死讀書的同學們，一定羨慕到不行，半夜醒來都會笑。

你不是壞人，你從來沒有答應我做不到的事，當然，這也歸功於我不會去要求一些明知道你做不到的事，我討厭一切形式的俗套。

「不如回來香港吧，反正你留在那邊，也見不著他，沒有親戚又沒有朋友。」

阿希把主菜分到我的碟子後，說。

「我不行的，我已經不習慣香港的工作環境了。」

「都是藉口，沒試過怎知道？」阿希少有的堅持，也許在他眼裡我處境實在糟糕，只是我自己不知道。他繼續說：「況且你有我們這些舊同學，個個都工作十多年了，在自己的領域總有些人脈，要介紹工作給你還不容易？你不是單打獨鬥的。」

我沒有說話，再濃烈的菜式也食之無味。

「除非你一個人在那邊過得很開心，但你又不是。」

「你怎知道我不是？」

「如果是的話，你回來前就通知我了，怎會到最後一天才找我。」

他猜得沒錯。

「我過得挺自在的，我一個人愛吃就吃，愛睡就睡，有時候忙完工作，回家反正也不想應酬別人，自己一個也沒什麼不好。」

「開心和自在是不一樣的，你值得活得開心些。」他見我還是沒反應，問我：「這次你回來，他有陪你嗎？」

「我沒告訴他我回來了。」

他無法理解地望著我。

「我本來以為你跟人分享半個他,但在我看來,你根本就是單身,你將自己放逐了,你是為了他一直獨身,他真的值得嗎?」

這不關乎你值不值得,這是屬於我、很個人的決定。

• • •

最近這幾年,你因為在大陸有生意,基本上已搬回香港和大陸住了。

現在,如果一年裡你可以騰出一個月的時間過來看我,已經很不錯。

每次你來找我,我們就租一間郊外的湖邊小屋,自己買菜煮飯,過老夫老妻的生活。

然而,每次到最後一星期都是吵吵鬧鬧收尾,不歡而散。

我常常罵你:「真受不了你這個老頭子!」而你則罵我:「你看你像一個女人嗎?」

我們都盡說嫌棄對方的話,但卻沒有人說過一句想分手,我認為這是我們深深相愛的證據。

是的，我既不溫柔又不善解人意，又不懂撒嬌，因為這些全都是我作為第三者的忌諱，如果我正正常常地找個可以完全屬於我的男人談戀愛，或者就不會變成這樣，但我十八歲到現在從沒跟其他男人一起過，我不知道什麼算是正常的戀愛，大概一輩子也不會知道。

　　我已搞不懂，是因為我性格如此才一直迷戀你，還是因為你才變成性格如此。我們糾纏了這麼多年，你已是我生命中很重要的一部份，我們的好與壞都不再只是單方面的責任。

● ● ●

　　吃完晚飯，我跟阿希在街上並肩而行，他送我去的士站，銅鑼灣在我眼裡變得很陌生，我發現，跟一個男人近距離地貼近，走在街上的感覺於我也很陌生。我也曾想像，身邊還有哪些有可能跟我發展的男人，阿希可能是其中一個，不過也只是想想而已，我越來越肯定，我已經不可以回來了，我早已是個無家也沒有人認同的人，也許孤單已經進入我的血脈裡，與我這個人合而為一。

　　「這次回來香港變了很多。」我說。

　　「是變了很多，我和你也變了。」

　　「我們的友情沒變呀。」我微笑。

　　「那你就聽我話，留下來嘛，一年也見不著一次，太少了。」

其實他一再說服我，我心裡是高興的，也許在其他人耳裡是客套話，對我而言卻是溫暖，可惜我偏有逃避溫暖的傾向，我怕自己變得依賴。

　　「你何不過來看我呢？反正我下班了就無所事事。」這是實話，有朋友來看我的話，一定很開心。

　　「我說沒用，如果是他叫你留下來呢？如果是他給你一個名份呢？」阿希提出了我儘量不去想的假設，我的胸口一陣痛。

　　「我還是不會為他放棄那邊的工作，我覺得那邊的生活到目前為止都是很不錯的。」

　　我還是堅持自己過得很好。彷彿不這樣堅持，一切的意義便會在瞬間瓦解。

　　「到目前為止。」阿希重複我的話，嘆了一口氣，他忽然說：「前陣子我進了醫院。」

　　我很吃驚。「什麼事？」

　　「胃的毛病，現在沒大礙，但是發作的晚上，痛得我幾乎昏過去，我以為自己死定了。」

　　「這麼嚴重……」

「進醫院的幾天，一直是我女朋友替我張羅，我也看到跟我們差不多年紀的病人，有另一半推著輪椅穿梭醫院不同樓層，然後我在想，人真的需要有另一個人照顧，不要怕負累別人，人真的都需要有個歸宿。」

歸宿。我在心裡默唸著這個字。

「你是男人居然都這麼想。」我想開個玩笑打發過去，但表情僵硬，語音微震。

「出院沒多久，我向她求婚了。」

「啊，恭喜你。」

我為自己居然想過和阿希的可能性而臉發燙，我太絕望了。

「我知道你很獨立，我知道你不想附和世俗的想法，或許你會怪我多事，但是你也該為自己想一想，到目前為止沒問題的狀態，是否可以持續到永遠？」他說。

我吃驚的是，他居然可以想到這麼遠。

只有幸福的人敢去設想永遠，我只願過好我的每一天，和自己好好相處，每晚閉上眼睛能安然入睡。

我來不及回答，一個熟悉的身影映進視野裡。

我看到已經冒出不少白髮的你，牽著女人的手，走在馬路對面。

「怎麼了？」阿希發現我忽然停住。

「我看到他。」我喃喃說。

阿希跟隨我視線張望。「就是那個人？」

我微微頷首。

「跟老婆感情看來沒什麼問題。」阿希說。

從沒想過這樣。

你們有個女兒，但女兒應該都十多歲了，有自己的朋友，不需要家庭樂，原來一起過老夫老妻生活的是你和太太，而不是跟我。

我從你們的背影讀到一個詞，你們才是彼此的「歸宿」。

那我是什麼？

我是你腦裡偶然閃過的一個名字？還是記掛你心上卻無需要觸碰的溫柔？

老婆轉進服飾店的時候，你一個人留在門外打電話。

然後我的手機響起。

「是他。」我小聲說。

「聽吧，告訴他你回來了。」阿希不知是鼓勵還是催促。

我聽了電話，但支支吾吾。

「我跟朋友吃飯⋯⋯」

阿希突然搶了我的手機。

「我是她男朋友，而你是有老婆的，都幾多年了？是男人的話就不要再纏著她好嗎？」

「你瘋了？」我嚇了一跳，連忙把手機搶回來。

電話已掛斷了。

阿希說：「你可以氣我，但這話今天我不說實在看不下去。」

我不氣阿希，只是無法接受讓你誤會我有別人。

我知道你不會挽留我的，我知道你一定不會跟別人搶，你會放我走。

而我不想走，所以才一直一直留在原地等你。

隔著馬路，可以看到你握著手機，一臉失落的表情。

我心一陣痛。

我清楚自己是愛你的，這麼一來，反而驀地變得不再感到迷惘。

「我過去找他，告訴他你剛才是胡說的。」我對阿希說。

「你找他，要在他老婆面前說什麼？」

「我不知道。」

我真的不知道，我連跑過對面馬路之後發生的事，都不敢想像。

或者我只要走近你的太太，我就不會跟你相認。

我只是真的好怕，你會因為被人這樣罵，決心離開我。

不是你拉著我，是我捨不得放開你。

我只是急著要告訴你，不用考慮我的幸福，如像每一個難以入睡的晚上，我又再次決定了，我是真的真的不怕孤獨。

在你懷抱裡很舒服

在你包圍下

進取中總有退路

讓我敢於放肆地

孤獨

我敢在你懷裡孤獨 ——

也可以延伸自己的觸角

我可以避世

你就是那個殼

若我們是蝸牛

track 12 ——_ 兄妹

原唱／陳奕迅
作詞／林夕　作曲／徐偉賢

對我好　對我好
好到無路可退
可是我也很想　有個人陪
才不願把你得罪　於是那麼迂迴

一時進　一時退　保持安全範圍
這個陰謀讓我　好慚愧
享受被愛滋味
卻不讓你想入非非

就讓我們虛偽　有感情　別浪費
不能相愛的一對　親愛像兩兄妹
愛讓我們虛偽　我得到　於事無補的安慰
你也得到模仿愛上一個人的機會
殘忍也不失慈悲　這樣的關係你說　多完美

眼看你　看著我
看得那麼曖昧
被愛愛人原來　一樣可悲
為什麼竟然防備　別人給我獻媚

不能退　不能要
要了怕你誤會
讓我想起曾經　愛過誰
我所要的她不給　好像小偷一樣卑微

就讓我們虛偽　有感情　別浪費
不能相愛的一對　親愛像兩兄妹
愛讓我們虛偽　我得到　於事無補的安慰
你也得到模仿愛上一個人的機會
殘忍也不失慈悲　這樣的關係你說　多完美

| 12

在我快要刪掉雯雯的號碼時，手機響起，我可以肯定，是她來電。

我沒法放下她，她就好像住在我心裡，或跟我有心電感應，總在我突然覺得有點寂寞時關心我，在我想立定決心放棄她時出現，讓我怪責自己不理她的話太狠心了。

「哥，昨天跟你一起晚飯的人是誰啊？坐在你旁邊的那女生很熟嗎？沒聽你說過？」

這回，她好像有三個月沒找我了吧？男朋友也再次交上了吧？應該不再覺得寂寞無助了吧？為什麼非得看到我身邊有異性出現，才想到找我呢？

這樣的關心有點像是吃醋，竟又讓我有一點點開心。

什麼時候你知道自己喜歡一個人？就是她做的一件完全沒打算逗你開心的事，你卻竟然開心了半天。

「新同事而已，碰巧坐在我旁邊，整晚聊天不超過十句。」

「我都沒見過。」

「你離職太久了，這陣子換了很多人。」

「還是哥你最長情呢，都沒想過要走。」

工作應該與長不長情無關，只是我為人不喜歡尋找刺激，比較只求安定，不過我不想對她說，她就是對我這類人沒愛情，充其量有兄妹之情吧。

有人說，愛情就是尋找一個將自己看成特別存在的人。

雖然不是讓她心跳的類型，但她又不能沒有我，這樣，也算是在她心裡特別的存在嗎？

• • •

　　雯雯之所以叫我哥，只源於一次無聊的交談，你英文名字叫什麼？她問我。

　　很少人問我英文名字，但我好歹是有的，叫 Keith，我說。

　　「那跟我哥哥的名字一樣啊，那以後我就叫你哥。」

　　那時候剛認識她，聽同事說，她九歲就跟爸爸媽媽去了上海，畢業後才一個人回來，人生地不熟，可以感覺到她非常渴望交朋友，而且沒有時間慢慢培養感情。

　　她這樣的態度對別人來說可能有點突兀吧？不知為何，被她叫作「哥」，我倒沒有任何不自在的感覺，還很能接受，她的聲音挺甜美的。

　　我是獨子，所以不知道哥哥應該怎對待妹妹，對我來說也有點新奇。她比我矮一個頭，有時她做了笨笨的事，我會拍拍她的頭，倒真的有幾分把她當妹妹的感覺。

　　有了這個她給的位置，兩個本應陌生的人，再也不必像別人那樣慢慢揣摩相處的方式，少了彼此試探，我們很快便像認識了二十年的人一樣。這當然也得拜她不停地想出找我幫忙的事所賜，因為我是那種從來不會開口約女孩子的人。

有大型包裹寄來，我跟她去郵局領，一路搬回家。

一看，她租下的郊區村屋，分明是被經紀騙了。分租房在四樓分明是違建，電力水力都不足，出入的路晚上沒有路燈，而且她又特別怕狗，聽到狗吠聲都會渾身發抖。

我不放心她一個女孩子住那裡，便替她四出物色新租處。

那陣子公司的人知道我幾乎每天下班都陪她去看房子。「新來的小妹妹，你出手這麼快，我們都甘拜下風了。」男同事笑我。「別想歪，我當她妹妹而已。」我說。

別人這樣說，我怕對她不好，找到房子讓她安頓好之後，我便加倍投入工作，連那群臭小子的工作也承擔下來，因為這樣，有一陣子沒怎麼理她，但是心裡其實全是她。

後來同事們堅持要她入厝請客，我人一到，看到她自己動手塗的牆簡直塗得慘不忍睹。

「那牆你這麼一弄，要是業主看到一定發飆，你只是租的呀。」大家圍爐吃火鍋時，我趁她走開去冰箱拿醬料，悄悄對她說。

「對不起，我不知道不可以自己裝潢⋯⋯」她把醬油瓶摟進懷中，一臉驚恐。

「可以是可以，你不懂就等我來嘛。」

「我不好意思麻煩你這麼多……」她說時一臉哀傷。

「別跟我算，誰叫我跟你哥起了同一個名字呀。」我開玩笑地說。

看到她綻放出笑容，眼角有感動的淚光，我第一次覺得，當初隨便起的名字實在起得太好了。

. . .

後來，她轉職也是先問過我意見的，可是轉職之後，卻常常跟我說不開心。

有一晚跟前同事吃飯後，我順路，跟她一起坐地鐵。

「你為什麼不警告我啊？現在這裡同事都很冷漠啊。」她說。

「出來做事就得公私分明，不能要求同事個個當你朋友，不暗算你已不錯了。」

「我不喜歡這麼複雜的人事關係。」

「不喜歡，再轉職就好了，你沒聽過魚不過塘不肥？」我安慰她：「下班再找朋友不就好了？」

「哥說的話總是那麼厲害，總是很有道理似的，我從來沒聽男孩子說過。」她好像鬆了口氣。「在這裡，只有你一個人會聽我訴苦，給我意見。」

然後我錯說了一句，我不應該說的話：「你應該找個男朋友才對。」

她剛才的笑容凍結在唇邊，她別過臉，眼神黯淡下來。

她一言不發，像是生氣了。

突然覺得，她有點遙遠。

不知道我這句話，是讓她想起一個男孩子，還是什麼？我開始手心冒汗。

這麼漂亮的女孩子，其實一直以來跟我沒什麼關係。

雖然說得輕鬆，如果她真的不再找我，如果我失去了她，怎麼辦？

「其實，我不是為了貪高一點薪水轉職的，我不想同事們笑你，才覺得跟你分開一點會好些……」她忽然低聲說。

我呆了半晌，沒想到她轉職是因為我，我有點高興，她這樣做是為了保存我們的情誼不受雜質污染，她是重視我的，一如我重視她，我對她的心思算沒白費了。

車到站了，車門打開，我本來是要送她的，她卻說：「我自己回去可以了。」

「我有的是時間。」

「真的不用了。」她輕輕按我的胸口，把我推回去。

我看著她低著頭急步走遠，車門關上。

過了許久，才懂得給她發簡訊解釋。

「我那句話沒什麼意思，不是想把你丟給誰。」

她已讀不回，這是以前從來沒試過的。

• • •

第二天早上醒來，我遲到了，昨晚等她回覆，一直沒有入睡。

我飛快更衣梳洗，衝出門上了巴士，才拿出手機看，原來她回了我。

「我不想別人笑我收兵，我真的當了你是哥，也許是太依賴你了，給你麻煩了很抱歉。」

昨晚她也久久沒睡嗎？我正想回覆「不麻煩」，她卻同時上線，並對我說：「其實，我在上海本來有個男朋友，我真的很愛很愛他，可是他卻跟我的好朋友一起了。

「我沒辦法接受這件事，一日之間，我失去了男朋友和好朋友，我自少認識的世界完全顛覆了，本來我是想去不同國家流浪幾個月，但我從未出過遠門，家人很不放心，看到他們這樣，我就提議，不如我回香港去，在香港，至少有其他親戚在，爸媽這才讓我一個人回來。

　　「你聽過女作家 Virginia Woolf 的一句話嗎？ You cannot find peace by avoiding life.」

　　我心裡默唸。逃避不會為你找到平靜。

　　「所以，到現在我仍然在想他，其實每一晚仍然後悔離開了有他的地方，每天醒來，仍然想不如今天就回去。

　　「我很沒用，可能，我真的該找個男朋友，才能忘記他……」

　　我連忙打了一句：「我可以做你的男朋友。」

　　還沒衝動得發出去，她卻又說：

　　「可是，另一個我又清楚，現階段我還沒法愛上別人。」

　　我把自己本來想說的句子刪除。

　　「也許，香港不是我能忘記他的地方，我不知道在哪裡有能忘記他的地方。」

　　再給這裡一點時間吧，再給我一點時間。

　　我難受得要緊，心裡直發疼，現在才知道，我並不只想當她的哥哥。

「別擔心，找不到男朋友的話，還有我照顧你。」

我想說的是，一輩子。

她回了我一個微笑。

「等你也交女朋友了，她會吃醋吧？你對別的女孩太好的話。」

「你覺得會有女孩子做我女友嗎？」

「怎麼沒有？你這麼細心。」

那麼為什麼不是你？

．．．

說不會在這裡交到男朋友的她，不出一個月，卻跟我說，在新公司交上了男朋友。

我發現許久沒有她的消息，她的手機大頭貼換成跟陌生男人的合照，我才恍然大悟。

「你換了大頭貼，男朋友？」我傳簡訊給她。

「對了對了，我本來還想約你出來，三個人吃個飯呢！不過我們在計劃一起辭職去歐洲旅行，現在在搶特價機票，晚點再跟你說哦！」

她似乎很開心，她已經不需要我了。

我只無奈地回了一個「好」，這個訊息直至三星期後她仍然沒有看。

• • •

後來，她在歐洲打電話給我。

說她跟男朋友鬧翻了，那男孩在杳無人煙的異國山路叫了她下車，她步行了幾小時才找到一戶人家收留，那已經是隔天的凌晨，黑得伸手不見五指的路途，嚇壞了她。

三天後我接機，她一出來看見我，立即撲過來抱住我，放聲大哭。

「剛才還遇上氣流，還要嚇我到什麼時候？我想上天一定很不喜歡我。」

「沒事，沒事了。」

「那個人，壞透了⋯⋯」她說的應該是她男朋友，我從沒見她哭得那麼淒涼。

但我很高興，她這時候終於想起我。

「為什麼我總是遇到這種人？」我送她回家，買了外賣，陪她坐下來吃，但主要都是看她吃。

　　「眼淚都全掉進飯裡了。」我拿紙巾給她。

　　「開心的時候很開心，可是一開始走錯路，就不斷把責任推給我，說我煩著他⋯⋯」

　　「忘了他吧！一定有人比他們更珍惜你。」我說。

　　「誰？」她含淚問。

　　「我。」

　　這時她的眼淚終於停了下來。

　　她抿著唇，低下頭，過了好一會，才啞聲說：「我知道你是個好人，我知道你一定會對我好，我就是知道這些，更不能接受你。」

　　「為什麼？」

這次，她在與別人熱戀後仍未忘記我，她在最害怕的時候要找的人是我，她在遇到壞男人之後明白我的好，她不忌諱抱著我哭，我以為自己有把握，沒料仍然只是妄想。

　　「我覺得我們本來的關係就是最好的，我不想對你失望，如果我沒有傷心時可以依靠的地方，我會活不下去的。」

　　我明白了。

　　所以，所以我是哥哥，我是一個特別的存在。

　　不比男朋友重要，但至少比男朋友特別，我應該覺得，很滿足。

　　「沒事，你就當我沒說過，我們就像本來那樣就好。」我故作輕鬆的說。

　　她破涕為笑。

　　「你說的喔！」她好像真的鬆了一口氣。「我就知道你可憐我才這樣說。」

　　是，我說的。

　　一個沒有人可憐的人，有能力一輩子可憐別人嗎？

　　我不知道，或者我要用一輩子試試看。

．．．

後來，我多在臉書貼了有女性坐在身邊的照片幾次，她都會問我那是誰。

我像初次嚐到甜食的小孩一樣，為了拍照的目的，連以前不會去的場合都去了。

卻讓我在這些飯局裡，認識到一個真的對我有意思的女生。

但這給我的開心及期待，還不及拍到照片讓雯雯有反應來得重要。

「如果找到女朋友，告訴我啊。」

「你不怕，下次失戀時連我也不理你？」我試探著問。

「我不能這麼自私，我也想你得到幸福。」

於是我懂了，她不自私，就是她已得到幸福的證明。

她已經找到一個人，讓她有信心會比我更長久地照顧她。

她不再需要我了。

．．．

再後來的後來，雯雯開始以我的名字呼喚我。

她不再叫我哥了。

我見過她的未婚夫，我說起雯雯以前是我的乾妹妹。

她還笑著說：「有過這樣的事？」

她是真的忘記了？還是不想讓未婚夫知道曾經如此依賴另一個男人？

看著她笑得把頭靠向他的肩，我還能不滿足什麼呢？

不管我再如何做好「哥哥」的角色，我從來沒讓她如此開心過。

兩人一家親

分開

在兩個家庭

如世交往還

縱沒有和平統一的機會

兄
妹

擴　且　兄　沒　怎
大　讓　友　有　麼
稀　戀　妹　誤　可
釋　愛　恭　會　能
為　　　　　　誤
關　　　　　　以
愛　　　　　　為

林夕十九首　　|第十三首

track 13 ——_ 愛你還愛你

原唱／**衛蘭**

作詞／**林夕**　作曲／**SHIN SUNG HUN**

等　你有日能抽空
大家趁事情未凍　而心也仍然未太痛
我想講出口
彼此各有所夢
誰令你更器重
當初嫣紅　漸化灰燼
等　你確實還不懂
認輸禮物還是免送
恐怕突然未夠勇
對你講不出
因他你已心動
還是撤退任你造美夢　別來相送

輕輕的走　連雲彩一片也沒帶走
以免你要　記起我略略難受
輕輕的走　無謂記起可否接受
我怕不捨　然後盼你問候

想你　但愛著你還愛著你
但放棄理論因不想逼你
我很想嬲你
但是太自覺怕變小器
舊日我或太盡力遊戲
明白你　也就原諒你

輕輕的走　連雲彩一片也沒帶走
以免你要　記起我略略難受
輕輕的走　無謂記起可否接受
我怕不捨　然後盼你問候

想你　但愛著你還愛著你
但放棄理論因不想逼你
我很想嬲你
但是太自覺怕變小器
舊日我或太盡力遊戲
明白你　也就原諒你

出走　是最後　最後去就你
用我器量痛苦去寵你
讓你生活　前度就忘記
瞞著你
I'll be missing you

| 13

你信不信報應？

如果這不是報應，為什麼他會這樣對我，而我又可以原諒他？

我也有過不想被人了解、不想被誰捉緊的時期。

我也曾遊戲人間，傷過許多人的心。

過去，雖然我談過許多次戀愛，但我從沒像今天那樣，思考過愛是什麼。

愛這東西，並沒有別人說的那麼萬能。

就算我再怎樣等他回心轉意，我也知道有些事情是無法挽回的，我除了放手讓他走，還可以怎樣？真的，愛一點用處也沒有。

但愛又是最萬能的，如果不是有愛，我根本不會去理解他，我一定會因為自尊心受傷而鬧哄哄地吵。

　　正因為愛一點用處也沒有，但我還是不願不愛，不願以恨取代，那麼，我對他的愛，該是這麼多次之中最真的一次吧。

● ● ●

　　算算日曆，我們已經冷戰第三個星期了。

　　我是專業化妝師，最近每天都在太陽出來之前就起床開工，昨天才在三十五度高溫下曝曬了一整天，今天又遇上大風大雨，但拍攝工作很趕，當紅藝人又只有今天的檔期，我們全部人躲在一旁祈求大雨過去。

　　因為在郊外的天然潭畔，又草木叢生，電話信號不是收得很好，我打著傘走出去尋找收到信號的地方，阿龍有找過我嗎？最後一次見面時發生的事，他還欠我一個交代。

　　信號收到了，但我仍然失望，他沒有找我，他的大頭貼令我心酸，曾經最喜歡的爽朗笑容像在嘲笑我。我關了機再開一次，身旁響起一把男聲說：「沒用的，有就有，沒有就沒有。」

站在不遠處的是負責髮型的 Dave，他跟我一樣，為了保持專業形象，穿著一身的黑衣，他也打著傘，手中也拿著電話，我們應該都在等一個人打來，我意識到他是在逗我笑，我才笑了。

　　「你信不信報應？」他忽然很感慨地問我。

　　「你又發生什麼事了？」我知道他想聊天，雖然只有過幾次合作機會，但他是個挺聊得來的人，也試過一大群同事一起出去喝酒。

　　他嘆了口氣說：「以前要女朋友等的多，手機訊息老是故意已讀不回，哪知現在遇到她，好端端的就是停不下來的個性，說什麼去工作假期，整年好幾次作了最壞打算，以為她會認識了別人不回來，好不容易等到今天她回來了，我答應了她去接機的，卻又困在這裡開工⋯⋯」

　　「這算是哪門子的報應啊？傷了這麼多女孩，還找到真愛呢！你不要再放閃了！」我笑他。

　　「如果不是報應，怎會被收服得這麼慘呢？」

　　他的手機響起，本來扮出小狗可憐樣的他立即眼神發亮，跟我點了一下頭，本來他想走開，我怕他信號收不好會斷線，便向他示意，還是我走吧，不妨礙他了。

　　反正，不會有人找我。

回去的時候，我開始想是不是真有「報應」。

男朋友當初可以為我離開別人，當然也可以為別人離開我。

● ● ●

　　我跟阿龍本來是絕對信任的關係，我連他的手機密碼都知道。譬如他洗碗的時候，有工作的訊息傳來，還會叫我幫他看再告訴他。雖然有密碼，我卻根本沒有興趣查看他的簡訊。為什麼？因為我們擁有的是一份「絕對」──經歷了這麼多，想找的人無非就是對方，因為有這份共識才跟之前的男女朋友分手而走在一起的，如果不是如此認定，何必多此一舉？我又怎會花精神去懷疑呢？

　　幾個月前，我開始想到要不要買房子一起住，工作上賺到一點錢，但見面的時間太少，只有一起住可以解決這個問題。他起初不太願意，老實說，我自己也沒想過自己有這個打算，我和他在認識對方前都是不去想將來的人，可是女人大概比男人有危機感，最近我開始有一些務實的想法，但也是這些想法，將我們越拉越遠。

　　那天我以為傳簡訊給他的是曾帶我們看過房子的經紀，那個女人的英文名跟我們的女經紀一樣，所以我才擅自看了他的訊息。

　　「有時我想，如果我早點認識你就好了，那我的出現就不用讓你這麼痛苦。」

我想把手機悄悄放下，裝作沒有看過，但我的手在發抖，手機滑落在書桌上，發出響聲。

「什麼事？」他過來查看。

他發現手機的屏幕撞出了一道裂痕。

「我不小心摔到了，我賠給你吧。」

他臉色變得難看，如果不是心虛，他一定會罵我笨手笨腳。

但他關心的是：「你看了我的手機？」

「我怎可能看你的手機？」我笑容僵硬地說，轉過身。

他當然知道我看了他的手機，但我一直不聲張，他無從知道我看了多少對話。

而我心裡一直記住那一句——原來留在我身邊，他痛苦嗎？

• • •

那天之後，阿龍沒有再找我。我無法得悉他的沉默意味著痛苦還是快樂，也許他已經跟別人一起，也許他在跟她商量如何跟我開口，一想到這，我就無法接受，情願不去想。我接了一些以前一定不會接的工作，越辛苦越奔波越好，那就不用一個人胡思亂想。

或者，短暫的出軌就教他滿足了，或者他不甘心就那樣修心養性，我當然懂得他的性格，我們啊，骨子裡都是同一類人，喜歡讚美，喜歡被愛，喜歡被人追求多於自己去追求別人，所以一直以來戀人都是一個接一個，從沒有空窗期。

　　我以為他跟我一樣，那個階段已成過去，原來，他的心又再因為女孩子的追求而蠢蠢欲動。

　　覺得自己周旋在多於一個異性之間，好像萬人迷吧？

　　跟同一個人一起久了，不管對方做什麼都覺得理所當然吧？

　　重複做同樣的事，同樣的節目，同樣的作息時間，厭倦了，與其他人撞碰一下，才感覺人生不是停滯不前……

　　我都知道，我都了解，以前我也是個這樣的人。

　　報應。

　　無法抉擇的痛苦，對當時的我而言，不過是一種調味料吧。

　　但如今，如果他是真的感到無法忍受的痛苦的話，至少意味著他愛過我，比以前的我更用心地愛，所以有一點，捨不得我。

　　我只能冀求到這個程度了。

「怎麼被淋得這麼濕？披著我的外套吧！」渾身濕透地踏出地鐵閘口的時候，聽到好像很熟悉的聲音，我滿心希冀回頭，看到的只是一對年輕情侶，男生正為女生披上外套。

　　攔不到計程車，差點攔下的一台，司機見到我拉著大化妝箱，寧願停給另一對等車的情侶。

　　我拖著累得半死的身體，上了小巴。刷了一下臉書，看到Dave 跟女朋友的合照，被收服了的壞人，似乎比好人更幸福……

　　很遺憾，我並不是最後收服你的女人，那個她會是嗎？

　　就趁著我現在內心的一片混亂，給阿龍發了簡訊。

　　「其實，我們大可以分開的，我不想你辛苦。」

　　我懂的，我真的懂，因為我明白你。

　　你讀了訊息，等了許久，不見回應。

　　難道這不是你想聽到的嗎？

　　畫面顯示「輸入中」，然後停下一會，又再顯示輸入中。不知道他第一句想說的話是什麼，其他的都只是修飾。

　　畫面出現了一個字：「好」

就只是「好」而已。OK。沒有異議。也沒有形式化的道歉。更沒有解釋，讓我知道，你是在哪一刻開始對我生厭，如果沒有她的出現，結果是否也一樣。

因為太多的不好，只有這樣，最好。

• • •

我抬頭，笑了出來，也終於掉下了豆大的淚，一開始哭，便停不下來了。

小巴司機在後照鏡中看了我一眼，好像為免大家發現一樣，轉大了音樂的聲音。

• • •

我不是大方，我只是想你內疚而已。

可是我心裡又清楚，要等移情別戀的人內疚，也許要在很久很久之後。

等你有天被某個人收服，面對我今日同樣的處境的時候。

你會知道，你的幸福都是以我今天的痛苦來成全的。

視乎我有多大器

在這個天秤上
好像沒有你
作主的餘地

愛你還愛你——

喜不喜歡你
就看我還愛不愛自己
能不能承受你

track 14 ——_ 我這樣愛你

原唱／**黎明**
作詞／**林夕**　作曲／CHOI SUNG WOOK／YOO YOO JIN

還要將　這雙眼如何俯瞰
然後才可　將猜疑都變信任
還要將　雙手再如何拉緊
不說話也可　和你熱吻

還要經　多少放任和寬恕
然後才可　將安全感覺抱住
還要經　多少次和諧相處
不見面也可　學會獨處

用最孤獨的心　換最溫柔的愛
我仍然盼待何時才發現　就算天涯海角　都可能覆蓋
我們難道沒信心　這樣愛

還要講　多少對白來撫慰
難道言語　竟比內心更美麗
還要將　多少愛埋藏心底
感覺便會保留到下季

用最孤獨的心　換最溫柔的愛
我仍然盼待
何時才發現
就算天涯海角　都可能覆蓋

我們難道沒信心　這樣愛

| 14

「不用說了，我當然知道她是個怎樣的女人，不然也不會娶她。」

我說出連自己也不敢置信的話，好心約我出來跟我告密的男性朋友呆住了看著我。

「你這也受得了？」他一笑，那笑容很傷人。「真是服了你，你這樣還是男人嗎？」

我站了起來──我不需要向誰證明我是男人，本來是想這樣說，但我知道連這句話他也會覺得可笑，便吞了回去。

「你特地來告訴我，你的好意我懂，還是讓我自己處理吧。」我保持鎮定說。

其實我也沒法處理什麼。他沒有再說下去。

我離開了酒吧，我仍然相信，這個世界上沒有人比我明白自己的妻子。

我的妻，即使成為了妻子，仍然只是個很任性的女孩。是我，答應讓她一直任性下去的。

　　從十六歲那年跟她的朋友玩在一起而偶然認識，說來相識的日子已是相識前生命中無交集的日子的一倍。

　　就算發生什麼事，不過都是我們一起的命運當中的枝節，也是我庇護她、縱容她的憑據而已，其他人不會懂。

● ● ●

　　十六歲那年，我和她唸的是不同中學，但有共同朋友，第一天認識她，她就不像別的女孩，很愛抓著每個人說話，但我又不覺得她吵，還覺得她挺可愛。「你有沒有去過廣島原爆紀念館？」她跟我說。聽說她前一天才剛從日本旅行回來，那個年頭，並不是那麼多家庭富有得帶孩子去旅行的。「日本標準時間早上 8 時 15 分，叫 LITTLE BOY 的原子彈掉在半空中，然後整個城市嘭一聲。」她先是用字正腔圓的語調說出時間，然後雙臂緩緩張開、眼睛圓睜地做出爆炸的動作，相當生動，緊緊扣住我的心。「大

家還是睡眼惺忪，預備這天又像前一天那樣過，不過一道強光刺眼後，熱風暴將大家的身體都燒成灰燼。」她說時有點感傷，帶著少女時期獨有的傷春悲秋。

她永遠不會知道，她的話在我心裡泛起的熱風暴，到現在仍在擴散中。

· · · ·

我們曾經三次分手，第一次就是十七歲那年，是我的初戀，至於是不是她的初戀，她始終不肯說，我認為不是。後來我出國唸大學，我們各自都很快投入新生活，甚至稱不上分過手，只是漸漸無疾而終。

五年後我們重遇，對彼此仍有愛，當時她有男朋友，我是第三者，我不想破壞別人什麼，故意躲著她，是她跟男朋友分手後不斷主動找我，我很感動，之前我也傷過一些女孩，但這次我打算跟她認真。

可是一年後她說要去英國唸戲劇，似乎完全沒考慮過我，她就是這種人，感情熾熱的同時，內心有著捉摸不定的冷漠。

「那我們怎樣？」我問她。

「對不起，我還不想停下來，我害怕一停下便發現每天面對的東西毫無意義。」

當你發現自己的存在無法增添對方生存的意義，你還可以說什麼？

於是我讓她走。

我去看過她一次，覺得和她越走越遠，她表現興奮的東西我應和不來，最後好像為了一些微不足道的事情吵了架。

我以為她從此離開我的生命。

三年後，我在看醫生的地方重遇她。我其實沒想過會再和這個人一起，當時我也有女朋友，但一見到她，就知道沒法放下她，我不知道她身體出了什麼毛病，但她看來很虛弱，精神萎靡，不再像我記憶中的她。我們交換了電話，但在手機上我對她的問候她回答得並不積極。後來終於知道，她本來有了孩子打算和男友結婚，但又因為她流產而結不成。她很痛苦，無論肉體和心靈，而且她非常自卑，常覺得自己很多地方不好，覺得人人都不喜歡她、不接納她，她的自信心似乎被徹底擊潰。如果任何人像我跟她在最好的年華認識，也會像我一樣覺得自己有責任幫她收復失地。

我接納她的一切，我熱烈地重新追求她，我一天告訴她三次她很漂亮，我告訴她我愛她，我陪伴她一段日子，我們到台灣散心，花了兩個月環島遊，探望我在台東開民宿的大學教授，我在那裡向她求婚，我說讓我來娶她，她哭著說好，她的眼淚想必包含很多東西。

• • •

　　婚後第二年，她開始在家工作，賣點女人的小玩意，沒賺什麼錢，但只要她開心就好，不覺得有壓力就好。首先發現蛛絲馬跡的一次，是我以為她在家，請她傳一個檔案給我，當時她回答我說「外出吃午飯去了」，再晚一點問她，她又說「去了購物」。「明知道我在等為什麼還出去呢？」我有一點怨言。「對不起，我趕快回去。」「不用了。」那天下班一個人擠地鐵的時候才有不好的預感，即使過去發生了那麼多的事，她從來沒有說過一句對不起。

　　過了不久，有一天出門前發現她竟然起得比我更早。「沒事，只是醒了睡不著。」她只是笑笑說，還給我做了簡單的早餐，在餐桌邊她問我今天的行程，知道我要去尖沙咀見客戶。這天下午我卻收到通知臨時改去銅鑼灣見那個客人，我在羅素街等過那條人來人往的馬路的時候，看到對面街她正跟一個男人一起。

　　她輕輕推了他一下，他又把她摟回來，他們的臉上綻放著少男少女一樣的甜蜜笑容，我認得那個男人，在她流產之後離開她的那個人。

• • •

　　紅綠燈轉成綠色，我眼中的世界卻變成黑與白。

　　馬路兩旁的人潮同時邁開腳步，只有我站著不動。

　　她勾著他的手，踏著輕快的腳步，別過臉來，終於看見我。

　　我們都避無可避。

她立刻鬆開勾著他的手，男人惘然望向我。

「你怎會在這裡？」

我以為她該說別的話，但她似乎真的很吃驚，沒想到我會闖入她的美夢。

我想苦笑，但真的笑不出來。我也想知自己怎會在這裡，但就算我不在這裡，看他們的旁若無人，遲早也會有人告訴我。

我不知道是有人告訴我，還是讓我親眼目睹，哪樣比較好。

我嚥了一下喉嚨，我沒辦法質問，因為實在沒什麼好問的，問她想怎樣？為什麼不是我想怎樣？為什麼連這當下我想到的也是尊重她？

「我回去再跟你說。」她小聲說。

我突然往回轉身走，她拉住我的手，我甩開了她。她沒有追上來。

我沒法說明那一刻我的心有多痛，如果有車撞上來我不會迴避。

. . .

「我這樣愛你，你到底還想怎樣？為什麼一定要回去他那裡？他還傷得你不夠嗎？你記得你最脆弱的時候誰一腳踢開你嗎？你總是要一再回頭嗎？如像你當初回到我身邊一樣。」

「我也不知道為什麼會這樣……不甘心他將我忘記，我想向他證明我也是值得被愛的。」

「為了贏回你的自尊，不顧傷了我的心？」

「你根本不用傷心，我一定會回來你身邊的！」

響起清脆的巴掌聲，我才回到現實。

我呼了她一記耳光，在我們的客廳，有著我們深深相愛的記憶。

「世事沒你想得那麼如你所願，有些東西破壞了就是破壞了，挽回不了的！」我說。

她開始抽抽答答地哭起來。

「我也不想這樣的……」

「你不想就不要做啊！」我咆哮。

「我控制不了我自己！」

我終於懂了，對她來說愛是什麼。

愛是儲夠甜蜜，互相折磨，缺了任何一部份都不可。

一開始，她以毀滅性的熱情來愛你，但久了又怕沉悶，她總是忍不住尋找舊情人，她需要感受被思念的感覺。

我以為用很多很多的愛，可以感動她、改變她，但她用我給的自信、我的讚美，去填滿她受傷的心；然後儲夠能量回去前度那裡，扳回一城。

　　她是仗著我的愛來辜負我。

　　我把自己關進房裡，我既然回來就不是想跟她分手。

　　我還不想輕易放棄我們的婚姻，不然我們經歷那一切轉折是為什麼？

　　我當然不想被她看見我哭，我無聲地哭著，咬破了下唇，嚐到血的味道。

　　抬頭看進她買的鏡子，原來痛哭的雙眼可以如此滿佈血絲。

　　她輕輕敲門。

　　「你不要這樣。」

　　我不要這樣？

　　我不要這樣，還可以怎樣？

● ● ●

　　跟同一個人分開第二次之後，可能真的會覺得沒理由再跟這個人一起。

　　但第三次之後，你又會想，就算仍然跟這個人一起又有什麼稀奇？

或者這是我的命。

或許就當是她的心理治療，這個階段也是會過去的。

我一笑，心理治療！我竟然為了不要失去她，接受如此的荒謬。

我收拾了一些東西，打開門，正眼也不看她一眼，頭也不回地離開我們的家。

「你去哪裡？」她追在我身後。「不要走。」她說。

．．．

　　後來，我給她寄了離婚協議書。

　　她打電話給我，如像之前每一天的她打來的三個電話，我都沒有接。

　　「我不會跟你離婚的。」她留言給我。

　　「我不想跟你離婚。」

　　「不要離婚好不好？」

　　「什麼時候下班？我在你公司樓下等你。」

　　那天，我刻意加班到凌晨十二點。

　　是公司要關燈我才被迫離去。

　　窗外在下雨。

　　我想她不可能還在等我了。

　　有點後悔，但又必須這樣做。

　　我在做一個實驗。

　　來到樓下，才發現沒有帶傘。

　　因為我討厭帶傘，每天上班前都是她迫我帶的。

　　她站在只能擋著半身狹窄的簷下，半邊身濕透，含淚看著我。

她是第一次到我公司樓下。

我沒說話，逕自走向巷尾的另一幢大廈的屋簷下，她默默跟著我走。

我們停在那裡，我本來是有股衝動，想出於習慣拿出紙巾替她抹乾。

可是我忽然想起自己不該這樣做。

「你等我幹嗎？我已決定了。」我冷冰冰地說。

「別這樣，你這樣我很難受。」她拉拉我的衣袖，小聲說：「我已跟他分開了，絕對不會有下次，我最愛的始終是你。」她說。

她看來多麼難受啊。

這就是我想要知道的實驗結果。

我想要知道，如果我這樣愛你也不行的話，你想要的到底是什麼？

是否一些連你自己也不知道自己想要的東西？

你要的根本不是呵護，而是在愛情中互相折磨。

你要的由頭至尾都是像原子彈投下的熱風暴一般的愛。

所以我沒辦法原諒你。

至少現在不會。

還沒告白已經愛上你衰老後僵硬的心血管

愛到透明之後我親吻的是你舌頭的細胞核

之後要把你擁抱成骷髏

poem

我這樣 愛你
——

林夕十九首 ｜第十五首

track 15 ——_ 天 燈

原唱／梁靜茹
作詞／林夕　　作曲／鄭楠

在最像情侶的那一瞬
和他朝著晚空放天燈
兩顆心許過什麼願望
我想問始終都不敢問

秒針追逐感動的可能
時間渲染感情的氣氛
兩個倒影在溪水浮沉
一個忘形就難以辨認

沉默的旅程　樂在快樂得真假不分
追浮雲的人　浪漫在擁有過曖昧的名份
比擁抱單純

暗戀的明燈　一路上如煙火隨身
寧願那想像的情人　永遠　保溫
美夢別成真　讓我夢到忘記疑問
寂寞就想想　那盞天燈　那指紋

懷念沒有吻過的嘴唇
想像沒有說過的永恆
錯過糾纏不清的凌晨
逃過幻覺破滅的黃昏

沉默的旅程　樂在快樂得甜酸不分
追浮雲的人　浪漫在擁有過曖昧的名份
比擁抱單純

暗戀的明燈　一路上如煙火隨身
寧願那想像的情人　永遠　保溫
美夢別成真　讓我夢到忘記疑問
寂寞就想想　那盞天燈　那指紋

到滿臉皺紋　那場回憶比相戀逼真
曾經有一個人　燃燒過　一夜的青春

暗戀的明燈　一路上如煙火隨身
寧願那想像的情人　永遠　保溫
美夢別成真　讓我夢醒不留疤痕
我的天空裡　有他眼神　他體溫

| 15

　　「什麼時候你才願意跟他分手？」躺在枕頭上，把秋妤摟在懷中，灝嗅著她髮稍的洗髮精獨特的玉桂香味，啞聲問。

　　果不其然，秋妤顫抖了一下，輕輕挪開了單薄的身體，她總是用製造距離的方法來懲罰灝的貪心。

　　「為什麼忽然又說這個。」秋妤嘆了口氣。

　　「可是你明明說跟我一起開心些。」

　　「可是這世界不是開心就成啊。」

　　每次被她拒絕，灝都覺得自己像個執著的小孩子，但也許他就是喜歡自己這樣子吧。

　　這世界還有什麼比開心更重要呢？如果問他，他會問，是所愛的人開心。

　　從認識的第一天，灝就知道秋妤是屬於別人的。

他們的認識是因為一場同學會，而秋妤正是一個男同學帶來的女朋友。

　　灝向來不是個會覬覦人家東西的人，他個性沉靜而安分守己，但是秋妤有一種獨特的魅力，讓他無法別開眼睛——秋妤笑起來整個人洋溢著一份純真，但當她的男朋友不理她時，她神色落寞，眼神飄向很遠的地方。

　　「不好意思，剛才點的菜當中，雞翅餃子和烤年糕最後一客都給鄰桌了。」服務員推門進來說。

　　「誰點的？」主辦的同學問。

　　「是我。」灝和秋妤同時回答道。

　　本來不該認識的兩人相視片刻，微微一笑。

● ● ●

灝喜歡秋妤那有點好勝的表情，她笑時才凹下去的酒窩和微皺的鼻頭。

「我很倒霉，總是點些沒有的東西。」灝笑說。

「下次我們要快一步，搶贏人家。」秋妤笑說。

她身邊的男朋友，只顧著和另外兩個女同學說話。

後來灝做了這輩子最大膽的事，去追求一個自己認識的人的女朋友。

開始的時候，灝說即使要他做備胎也沒所謂，灑灑是他跟自己玩的遊戲，但原來他做不到，他高估了自己。

那一晚秋妤應約跟灝去看除夕煙火秀，煙火爆發的一刻，是秋妤主動把頭靠向灝的肩頭。

她幽幽地說：「他有別的女人，他從來不會陪我看煙火，他討厭人擠的地方，可是今天他應該陪她在別處看了吧。」

或許，她向他靠過來，是想讓男朋友碰見。或許。

「你不需要委屈自己。」他說。

「她是他的前女友，我以為得到他的心，他卻原來只當我替身，那時候，他需要找個人填補她的位置，不過後來回想，即使明知道這樣，我也是願意的，委屈？看你怎麼想，如果只能這樣得到他，我不覺委屈。」

如果你有那麼愛他，為什麼接受我？灝內心苦澀，但沒有
問。

灝心知肚明，有些事情那個男人不肯陪她做，他只有選擇
陪或者不陪，不要問太多。

• • •

秋妤抬頭望著他，若有所思地說：「從下往上看，你這角
度跟他有一點點像。」

「你可以當我是他的替身，我沒所謂。」灝沉痛地說。「離
開他吧，你有我。」

「我不想走，我的夢想就是和他步入教堂，如果要我承認
輸給那個女人，我不甘心。」

「夢想難道不可以變嗎？認識了我也不行嗎？」

「我不知道。」秋妤搖搖頭：「我沒想過我可以。」

原來人不只追求開心，更會追究痛苦。

灝現在清楚這一點，是因為他倆都在做相同的事。

清醒的人會問迷惘的人，你到底想怎樣？想清楚，向有結
果的方向走便是。

可是若想得清楚，便不是迷惘的人了。

．．．

六個月後，灝和秋妤第一次結伴去旅行，她選擇了台灣。

「我覺得對不起你，我又離不開他。」點了天燈，放上夜空後，她說。

他發現，她總愛在晚上和他一起待在必須往上看的場所，他已經接受了當中的原因。

「如果覺得對不起我，就答應我一件事，可以嗎？」灝說。

「什麼？」

「不要再對他說『我愛你』。」

「只是這樣？」

「不要和他看煙火，不要陪他放天燈，即使他答應你。」

她的神情很哀傷，但她仍牽著他的手，並沒有用距離來懲罰他。

也許，她有一點點感動？

「我只想保留在你心中一份屬於我的獨特，不要和他摻雜在一起，這要求不過份吧？」灝說。

他有什麼是我沒有的？我有什麼是他沒有的？

當備胎的人，每一天都想著這一點。只要是專屬便不必比較，便不會輸。

「不過份。」她苦笑：「我也曾在心裡這樣要求過，但我沒說出口。」

是他太天真嗎？說出口是他不對嗎？或者只因為他是男人？而男人總需要一些專屬的什麼，得不到 100% 的她，也想在她的心裡，保留 100% 專屬自己的位置，即使這只是自欺欺人。

「或者因為我相信你是在乎我感受的。」灝說。

秋妤僵硬了片刻，輕輕抽回她的手。

「秋妤。」他看著她的背影說：「不要離開我。」

秋妤的肩膀微微顫抖，她在歡樂的人群中默默拭淚，她身邊的人面目模糊，只成了風景中無關痛癢、只讓她的背影變得更難忘的景深。

灝走到她身後，輕輕摟著她的脖子，她洗髮水的味道依舊。

「你剛才許了什麼願？」她啞聲問。

「當然是和你永遠在一起。」

「可是我許的願裡面卻沒有你，我太自私了。」

形式的專屬是沒有意義的，重要的是心裡在想誰，他怎會不知道？

但他苦笑道：「那就將你的這份內疚也變成我的專屬好了。」

燈明燈滅

只願和你無聊地看著電視的螢光

無所事事

就是我最想做的事

天燈

其實不想要放天燈

那好渺茫的浪漫畫面

如無必要許什麼願

林夕十九首　　｜第十六首

track 16 ——— 無名份的浪漫

原唱／**黎明**
作詞／**林夕**　　作曲／ HADI BIN HASSAN

從未試過這恐懼　仿似孩童被降罪
從未聽過這種話　使我緩緩滴了淚
當你自認這份情感千樣不對
當你自問繼續迷戀等如有罪
當你用未用過的神情來回望我
剎那間更像愛侶

從未見過你的臉　幽怨迷離在眼前
從未試過這滋味　苦澀茫然又帶甜
當你默默道別
而不知是否會再遇見
當你慢慢蕩入人海之前已在懷念

一剎浪漫在這關頭如像慢鏡
看一生也未看厭

臨離別的浪漫　卻又來的太晚
為何夢幻在分手一刻最燦爛
無名份的浪漫　最後留低慨歎
時間能否轉慢

從未試過這麼亂　仿似無情但有緣
迷亂撲朔這關係　今晚柔情地了斷

「我已經撐不下去了，我也有我需要的東西，我也有想要
被照顧的時候，可是你無法給我，我也不會跟你要。」

「我怎會不能照顧你呢？我不也很盡力嗎？」

你又在撒野了，旁人一定很難想像你一個大男人會這樣吧。

何況在人前那麼穩重、成熟、事業有成的你。

你提攜後輩，又能跟後輩打成一片，你對每一個人都這麼
好。

我們掩飾得很好，從來沒有人看得出我們的情人關係。

不過，你不覺得這樣更悲哀嗎？有時，我真情願有人看得
出來。

「我們根本不是說同一件事，我要你完全屬於我，你做得到嗎？」

「我們一起不是一直很開心嗎？」你伸出手握著我的手，在這間可能碰到熟人的餐廳裡，這似乎已算你最著痕跡的挽留。

或者一起的時候的確很開心，以前，我是會為了那一點點開心而承受其餘所有時間的痛苦的人，可是現在，我變了。

「你們的婚禮，籌備得怎麼樣？」

我抽出被你抓緊的手，你聽到我這問題很意外。

跟我一起的時候，你總以為自己可以逃去一個沒有現實衝突的地方，因此，你大概以為你正籌備婚禮的事，我什麼都不知道。

但我是一個活生生的人啊，我也有我最切身的感受。

「Luna 給我喜帖了，你想不想我去？」

「我不知道。」

如同每次被我追問一些你無法回答的問題，你就會說「我不知道。」

我喜歡的你，不是會這麼迷惘的人。

我喜歡的你，只會幫所有迷惘的人解決問題。

「如果我去了，不敢保證自己會做什麼事。」

你一臉驚恐地看著我。

「跟你開完笑的，你看！我才不去哩。」

你眉頭仍然皺著，似乎還沒有放下心頭大石，教我於心不忍。

「不過，收到喜帖，再也不能假裝我無辜了。」我聳聳肩笑說。「我真的沒想過，這輩子收到的第一封喜帖，會把我傷成這樣，我想我以後對結婚都不會有期待了。」

「對不起。」你只能說。

「什麼對不起，又不是你一個人犯錯。」我故作瀟灑地說：「如果我可以控制自己不愛上你，就好了。」

你用痛苦的眼神望著我。

「你知嗎？我最害怕有朝一日你會這樣說。」

• • •

遇上你以前，我的人生完全沒有焦點。

家裡除了跟我講錢，我從父母身上從來沒有感受過愛，男朋友被最好的朋友搶走，我的世界是灰色的，如果這時有人跟我講什麼正能量的話，一定會被我笑著嗆回去。我一邊抗拒別人的好心幫助，卻又渴望有誰來拯救我，如果我沒法證明自己的力量有任何價值，說不定沒有活下去的勇氣了。

那時候，我遇上你，你告訴我：「不開心的時候，什麼都別想，先行動看看。」

我加入你所屬的義工組織，每個週末，我們都會去低收入戶的社區做服務，像替孩子補習、派免費餐點、老人探訪之類的。

好幾次活動後，我才知道，你正職是跨國科網企業的管理層，難怪你才三十多歲，但已經長了不少白髮。

有一次，你代表我們這個組織上台致辭，你在後台準備，我很替你緊張。

我居然再找到值得我緊張的東西了，我的人生再不是空空洞洞的，因為我遇上你，你的一舉手一投足，別人眼裡怎樣看你，我通通都在乎。

我來到後台，你一個人站在上台的階梯前，低頭讀著寫著稿的卡片。

「準備得怎樣？」我來到你身旁小聲問。

「還好。」從來沒有人像你對我微笑一樣溫柔。

「你有條白頭髮，在這裡。」我指了指你的頭髮。

「啊？」

「我幫你……」

你自然地向我俯身，我自然地替你拔掉那根白髮。

「怕不怕？」我拿著你的白髮笑著問。

「怕什麼？」

「你沒聽說過？拔一根白髮會長回三根。」

「那就留待遲些再擔心吧。」

你說完這句，司儀就叫你出去了。

臨出去前，你回頭對我微笑，有一剎那，我有個錯覺，我是你背後的女人。

．．．

「我也曾經去到谷底，不過，越是在谷底，越要大步大步地邁開腳步，因為，已經不可能更壞了，每一步，都一定是向上升的。」

聽著你透過麥克風傳出的話語，我把你的白髮收進口袋裡。

大家只知道你很正能量，卻不知道你的孤單與悲傷。

留待遲些再擔心吧！

對，如果可以，真想把這句話刻在屬於我們兩人的墓誌銘上。

我們就是以這句為信念，支撐著這段沒有名份的關係。

　　• • •

　　我不是你的女朋友，我什麼都不是。

　　我後來才知道，與你在中學已訂情的未婚妻 Luna，因為大學時一次交通意外，下半生都要坐輪椅。

　　你也是因為照顧她的緣故，積極組織義工活動。

　　Luna 很漂亮，性格也很好，總是面帶微笑，雖然那笑容背後始終泛著一點點哀愁，彷彿總是在意自己雖然被愛，快樂時也不能忘記自己如何負累別人。

　　我見過你純熟地把她從輪椅上抱起，轉到沙發上去，你甚至記得撫平她的衣塊，讓她更好看。

　　大家都說，你大有條件找到更好的，因為你是如此大愛的人，你說，她也哭著對你這樣說過。

　　「她沒你所想的那麼樂觀，她有時情緒會很不穩，只有我能安撫她。」有一次，你喝醉了，你以快要哭出來的語氣說：「肩上的責任真的很重，其實我也想盡情任性一次。」

　　「你還愛她嗎？」我靜靜把頭靠向你的肩。

　　「我對她的是感情，我是那種答應了一件事，無論如何都要做到的人。」你第一次抱著我，你啞聲說：「我喜歡你，可是，我答應了她，絕不會離開她。」

我怎可能跟那樣的她搶你呢？我以為自己很可憐，可是跟她相比，我也不怎麼可憐吧！我不夠不幸，我沒法證明，我比她需要你。

　　「不要緊，你不需要公開，我只想和你一起，直至沒法繼續的一天。」

　　或者我可以陪你盡情任性一次，我不會破壞你們，你對她守諾，我也在心中對你默默守這承諾。

　　有沒有人知道，又有什麼分別？別人記得的，只是名份，我們記得的，是感覺。名份，只是用來等兩個人都忘記了對彼此的感覺時，唯一能牢牢抓住的東西罷了。

　　因為，世人會提醒你們曾經相愛，但我不需要別人的提醒。

　　那時候，我是真的那樣以為的。

今天是你結婚的前一晚。

我們真的該結束了。

我翻著手機裡我們的簡訊內容，從頭到尾看一次，我記得每句話之間自己內心的交戰。

按捺住想把對話歷史儲存下來的衝動，那樣做有什麼意義呢？

未來再看，還想被這段情再感動一次，這樣的我，罪惡感只會更加深，我連感動的資格都沒有。

她會成為你的妻子，這是一個，從一開始就注定不屬於我的名份。

只需要一個鍵，就能把你從名單中刪除，還有跟你之間的所有對話。

手指停在屏幕上，卻忽然收到你的來電。

你改變主意了？不可能的，你沒有那麼勇敢，你當不起壞人。

鈴聲停止了，你傳來一句簡訊。

「我只是想最後一次，聽聽你的聲音，我想知道，你在想什麼。」

也許你覺得我有點無情吧。

可是你懂嗎？我們的錯就是我們都對對方太仁慈了，才會不忍心讓對方失望而擁抱彼此。

我在想什麼？你又何必懂。

你不是只想盡情任性一次嗎？我已經陪你做到了。

其實我一點都不怪你，我真的很感謝你。

那也是我最盡情任性的一次，人生，偉大一次就夠了，下一個戀人，我希望他眼裡只有我。

我得到所有節日的第二天

而我們擁有三除以二等於一點五個人

卻剩下很多時間一個人

—— poem

無名你的浪漫

———

好在竟然有人說不被愛的那個才是第三者

這條算式是

林夕十九首　　｜第十七首

track 17 ——_ 數 你

原唱／楊千嬅
作詞／林夕　作曲／蔡德才

想　從幽幽的眼圈
逐公分那樣轉　為你點算著疲倦
願歲月難被我數完　地老天荒能轉多少個圈

想　從撕開的戲飛
逐分鐘掛念你　是哪一套最回味
從每日然後每星期　你我一起能看多少套戲

無奈肉眼看不到　用兩手摸不到
怎麼計算亦難料沉迷程度

同偕到老還餘下多少步
還能捏著你抱緊幾秒鐘擁抱
誰又會知道　憑每下心跳繼續數繼續數
只願延續下去數得到蒼老

想　從洶湧的髮堆
逐公分看下去　直到擁抱著沉睡
命與運埋在你手裡　你那些掌紋有多少愛侶

無奈肉眼看不到　用兩手摸不到
怎麼計算亦難料沉迷程度

同偕到老還餘下多少步
還能捏著你抱緊幾秒鐘擁抱
誰又會知道　憑每下心跳繼續數繼續數
只願延續下去數得到蒼老

誰願意知道
憑每下心跳繼續數繼續數
數著何時流淚才能被看到

還能與你再聽幾多音樂
還能伴著你再跳幾世紀的舞

其實我知道
迷上你一分一秒煎熬　一寸傾慕
只願容貌讓我數得到蒼老
一秒煎熬　一寸傾慕
數著何時望到彼此也蒼老

| 17

　　每次我去看醫生的時候，不管是綜合診所，還是醫院，都會特別留意每扇房門上醫生的名字。

　　三年前跟我交往過一年的男人到底是否真是醫生？我從未刻意去確認，可是心裡始終希望他告訴我的事情不全是謊言。

　　我們開始得突然，結束也突然。起初他用手機交友程式跟我打招呼，那程式沒有照片，只有一些自我簡介，我跟他聊起發現挺投契，才交換照片，後來很快就發展成情侶關係——至少有段時間我是這樣以為。

● ● ●

　　「你可不可以多告訴我一些你的事？」坐在家中客廳的地毯上，我把頭靠在他的肩膀，他在低頭看外送薄餅的菜單。

268

像這些時候，我覺得是難得的好機會，試探關於他的更多事情。

　　「我已經告訴你很多事了。」如我所料，他總是這樣笑笑推搪過去，誰教他的笑容這麼令我無法招架呢？但今次我可不容易算數。

　　「我連你姓什麼都不知道，你不覺得很誇張嗎？」我說。他仍是笑笑望了我一眼，又重新看菜單去。

　　我和他已斷斷續續交往一年了，如果不是我和他工作都忙，真難以想像我對他的了解可以那麼少。

　　「我不是給你看過我家人的照片，也告訴你我的工作了嗎？」

　　他總有把事情說得理所當然的能耐。

關於他的家庭，我只知道他一家四口，有一個感情不錯的哥哥，哥哥沒有他帥，父母都是很尋常的父母，頭髮花白，但衣冠楚楚，他似乎來自一個教養不錯的家庭，難怪他的氣質這麼吸引我；工作上的事是交往三個月後才知道，有一次約了他吃晚飯，他說「教授在手術室做示範，可能要你等一兩小時」，我才知道他是實習醫生，自那之後他會跟我聊到病人或者同業的情況，並沒有刻意避而不談，自然得就像一般的情侶一樣。

但這其實只是假象，我對他所知的，真是十根手指頭也數得完。

我知道他的電話號碼，但我不知道他的地址，我沒有他的電郵，他連一張照片都不肯跟我拍，他說他沒有經營社群軟體，因為沒有這個閒功夫。

我知道他喜歡點最簡單的番茄水牛起司薄餅，我知道他穿42號的男鞋，右腳比左腳大個半號，我知道比起 Marvel 英雄片他更愛恐怖片，我知道他一天喝三個膠囊咖啡但最近聽說不環保才戒掉，我知道他左耳有一個穿過現在卻癒合了的耳洞，我知道他的手相預言他會活得比我長久，雖然五十歲的時候可能有一個大難……

他雖然會說，不是熟人不會告訴他們這些，但這些東西說沒意義也真沒意義，真正的關係不可能一年後仍停留在這樣似是

而非的了解，至少我很介意，每次當我想到一點——只要他不找我，我們就會從此在人海中失散——我就會抓狂，可是我的在乎卻不能讓他知道，我不敢肯定，他到底願不願意被一個女人過份深愛。

「我姓林，如果你一定想知道的話，我從來沒有刻意隱瞞你什麼。」他摸摸我的頭說。

我數算著，我又擁有多一項他的資訊，我捉緊關於他的一點點什麼了，不過是知道他的姓氏罷了，我居然這麼開心。

自這天起，我偶然會無意識地書寫「林太」兩個字。

他就是害怕我太容易想得太急太遠，而不讓我知得太多，是吧？

● ● ●

最初的時候，朋友知道我交了男朋友，而且發展火速，都替我高興，可是幾個月下來，我還是無法具體說出他的事情來，朋友就覺得奇怪了。

「他可能只是有點害羞。」一個朋友替我打圓場說。

「還害羞啊？都上床啦。」另一個朋友說。

咖啡店裡幾乎全是女性，環境很靜，我「噓」了她一聲。

我聽著朋友你一言我一語。

「會不會是玩玩的？」

「可是除了有些時候抓不住之外，找你的時候他又好到沒得抱怨。」

「這才可疑，就怕你遇到玩家。」

「那又不必太悲觀，就是有這種人吧？肉體關係是一回事，打開心扉又是另一回事。」

「慢熱也不是這個程度。」

「其實你為什麼不找遍每間醫院，我就不信找不到。」

我終於插話：「我不想這樣，好像愛得力竭聲嘶的樣子。」

「你和他都是怪人呢，如果是我被人這樣對待，一定發飆。」

• • •

誰料到我有朝一日會栽在他這種人手上呢？

跟他一起的這一年，我覺得自己真的改變了許多。

我本來是不把事情弄得清楚明白不死心的類型，但我們從沒以男女朋友相稱，我知他逼不來，我只得漸漸習慣這種曖昧的方式，我對他不能有太多期待，只能開心的時候別想太多、別想太遠。

而我保護我的尊嚴的方式，就是收起我的熱情，有時對他冷淡一些。

　　如果我發飆，他一定會以無法理解的冷漠神情望向我，我的自尊不容許我這樣認輸。

　　他有什麼了不起。我對自己說。我也並不是真的那麼在乎他。我也可以只是玩玩而已。我也可以。

　　● ● ●

　　我們有時一個月也見不到一次，有時連續兩個週末都見，他會理所當然地說「今個星期來不及去的地方，下星期去就成」，如果我反問：「下星期又見？」他反而會露出受傷的表情，彷彿生氣我不想見他，那時候我就會很開心。

　　有時說了今天晚上來我家，他可以完全不出現也不道歉，讓我平白無事在家裡等了一整晚。可是我絕不要生他的氣，不讓他知道我在等。所以當他若無其事地打電話來，聊些工作的事卻不提那次失約，我也絕口不提自己那晚等了多久。

　　我們之間是在角力，比併著誰不在乎對方多一點。

　　但這也許，正正是這段關係吸引我的地方。

「你是不是還有其他人啊？」有一次我問他。

「我不是那種人啦。」

「那你是怎樣的人？」我悻悻然問：「你不告訴我，我怎知道你是哪種人呢？」

「我以為我們是不說自明的，人與人之間，資料是死的，惟有交往時所感受到的才是千真萬確的。」他說這話時像個天真的小孩，反倒像是被所謂正常的戀愛方式所限制的我太俗氣。

「真不懂你腦袋在想什麼。」每次我都只能沒好氣地笑笑。

「我正式到醫院上任之前，你說我們去希臘的小島度假好不好？」有一天他跟我逛街時輕描淡寫地說。

「你說的啊！那我找資料了。」我興奮極了。

「嗯。」他點點頭，然後視線被商店裡的有趣新玩意吸引過去，我們沒有再說這個話題。

回家後我花了幾個晚上上網找尋酒店機票的資料，我對這次旅程已開始有幻想了，既然是他提議的，我想這幻想是他所容許的。一起去旅行，他將無可避免地讓我知道很多個人資料吧。

「給我護照號碼和地址，訂酒店要。」我在電話裡問他時，他竟然告訴我：「我已答應了跟我哥一起去。」

我呆了半晌，認為他至少該跟我講句對不起，但他只是說：「那天跟哥講起，他說也想去許久，立即就買套票了。」

他甚至沒有對哥說答應了女朋友一起去，我也絕口不問。

「那玩得開心點。」我什麼都沒說，只能故作大方。

• • •

兩星期後，他給我傳來希臘小島的沙灘照，照片中真見他跟哥哥穿著泳褲合照，兩個人在看得見藍天與白色小屋的海邊孩子氣地笑著。

他完全不覺得令我失望了。

他回來的時候，還送我紀念品鑰匙圈，是一間白色小屋。

「我是不是該高興？又多知道一件關於你的事了，原來你去旅行回來會送鑰匙圈給朋友，真是謝謝了！」

他聽到我話中有刺，問：「怎麼啦？」他搖了搖我的手：「我們又不是朋友。」

「你們玩得很開心吧？」

「還不錯啦。」

我們去看電影，整晚我都冷著一張臉，他跟我說話我的反應只是「是或不是」。但他既沒有發脾氣，也沒有忍無可忍問我：「你這算什麼意思？」就像沒有任何事可以影響他的心情，我又算什麼？

電影散場時他還問我覺得好不好看，我終於將情緒一口氣爆發出來。

「我不知我們這樣算怎樣。」

「什麼怎樣？我以為你也挺喜歡這樣的關係……」

那麼就是我裝得太好了。

「我們這個根本算不上『關係』。」

他還是一臉不明白地望著我，如果他拂袖而去，至少我能恨他。

「你答應了跟我去旅行，為什麼忽然變成跟哥哥去？」

「啊，原來你在氣這個嗎？」他好像現在才懂得。

「不只是這個的問題。」

「我以為你沒所謂，你在意的話為何不說呢？」

「還要我說嗎？明明是你答應了的事……」

「我哪有答應過，我只是隨口說了一句……」他好像終於有點生氣，但更多的是無奈：「你不要無理取鬧啦。」

「我無理取鬧？是你給了我期望！」

他抿著唇站在馬路邊，良久沒有回答。

「對不起，如果我的方式讓你這麼困擾……」他小聲說。

「真的很困擾，困擾到不得了，怎會有像你這麼糟糕的人！」我一疊連聲地罵著。

然後我轉身走，他沒有追上來。

自那天起，他沒有再找我，一如我預期，我從此失去他的消息，就像從未認識過他一樣。

那種空虛失落感，很乖離，彷彿過去一年我只跟身邊一個朦朧的影子演對手戲，關於他的細節，我所擁有的也許一直是零。

‎ ● ● ●

　　三年後的今天，我因為行山摔斷了腿，被轉介到一間私立醫院看醫生。

　　站在門前，手已轉動了門把，看到醫生名字時，我停下了動作。

　　是他？還是只是同名同姓？

　　「可以進來了。」門後響起他的聲音。

　　他真的沒騙我嗎？我所能數算的東西都是真實的嗎？

　　我打開門，低頭在書寫的他，抬頭望向我。

　　「是你啊。」三年前我愛過的那個人，對我綻放出熟悉的笑容。

　　他看到我是腳傷，起來扶我過去，坐下。屬於他的氣味令我懷念。

　　他的視線有一瞬間停留在我手袋的白色小屋鑰匙圈上面，然後他只跟我四目交投，沒有問起。

　　「原來你真是醫生啊。」我說。

　　「我都說我沒有瞞你。」他重新坐好，定睛望著我，感歎的語氣。「真是太意外了。」

「我也很意外，先旨聲明，我沒有指明找你。」我說。

他沒好氣似地一笑。

「你還是那麼冷淡。」他竟然說。「害我都不敢找你了。」

「我冷淡？你是不是搞錯了？冷淡的是你才對吧？」我忍不住搶白。

「雖然我有很多話想跟你說，但我是不是應該先看你的腳？」他笑問。

• • •

晚上，他傳簡訊給我。

「嗨。我下班了。」

「你竟然還有我的電話。」

「病人紀錄有嘛，剛才有些話，不適合說。」

「例如？」

「那時候我很不成熟，比較收藏自己，不過我真的沒有騙過你。」

「已經沒關係了，我有男朋友了。」

我傳出這句，心情有點複雜。

他給我傳來一個哭臉，我噗嗤一笑，他失望嗎？

「這幾年，你一次都沒試過找我？」他竟然問。

「沒有。你不是不想我找到你，才什麼都不告訴我嗎？」

「正好相反，我一直等著你找我呢。」

「我不是那種女人，我不喜歡死纏爛打。」

「對，你什麼都很爽快，是我個性彆扭。」

我沒答話，他說得對，不過這也是我喜歡他的地方。

他的神秘感，既讓我仰慕又讓我煎熬。

「我們還可以做朋友嗎？這麼難得重遇了。」他又說。

「當然。」

所謂的男朋友，其實只是一個謊言。

我已經急不及待再去見他了。

若只是一場數字遊戲

會比較好玩

poem

数作
———

近視度：１００

高度：１８０釐米

闊度：０.１公分至１萬公里

幅度：３６０°

溫度：攝氏１０４

能見度：０至８

長度：１釐秒至１萬年

林夕十九首　　|第十八首

track 18 ——_ 心 動

原唱／林曉培
作詞／林夕　作曲／黃韻玲

有多久沒見你
以為你在哪裡
原來就住在我心底
陪伴著我的呼吸
有多遠的距離
以為聞不到你氣息
誰知道你背影這麼長
回頭就看到你

過去讓它過去　來不及
從頭喜歡你
白雲纏繞著藍天

哦　如果不能夠永遠走在一起
也至少給我們
懷念的勇氣　擁抱的權利
好讓你明白
我心動的痕跡

總是想再見你
還試著打探你消息
原來你就住在我的身體
守護我的回憶

| 18

　　一張熟悉的臉孔在臉書上出現，他被某個中學同學標註了，名字的確是他的名字范昕彥沒錯，我難以置信地定睛看著手機屏，男朋友跟我說話我都不知道。

　　「喂！在看什麼？」男朋友的手在我面前揮動，我才回過神來。

　　他放下剛買回來的咖啡，在我對面坐下，咖啡店裡人很擠，我們好不容易才等到這個位子，原本打算坐上一整天的，但現在我心情急不及待想找個人問問。

　　「不過就是在臉書上見到個舊同學罷了。」表面上，我輕描淡寫地說。

　　「他變了很多？」男朋友問，呷了一口咖啡，開始看自己的手機。

「對，去外國住的男人很容易發胖嘛，差點認不出來。」
我把手機收好，也從他手上搶走手機，指著食物說：「別看了，
你先吃一半。」

　　男朋友沒好氣笑笑，拿起叉子開動了。

　　我也不知自己為什麼要撒謊。

　　范昕彥根本沒有發胖，要說認不出來，只是因為他變得更
帥氣了。

　　所以我才怕男朋友問我拿手機看，想知他長什麼樣子。

． ． ．

　　男朋友送我回家，跟他說了「拜拜」，關上門後，我便立
即打電話給舊同學。

　　「喂你有沒有看丁婉琪的臉書，范昕彥回來了嗎？」

「是嗎？沒留意，我看看。」舊同學懶洋洋的，她滑了一下臉書。「啊，是啊，他們去吃飯了吧。」

「他不是在澳洲嗎？你不是跟丁婉琪熟嗎？她有跟你提過他嗎？」

「好像說過是在那邊讀大學，然後留在那工作，很久沒提起他了，也不知道他們還有聯絡呢。」

「他有沒有結婚？這次是回來長住還是探親？」

舊同學噗嗤一笑：「要不要我幫你打聽一下？你這麼感興趣。」

「只是許久沒見了吧。」

「你男朋友這麼好，不是到現在還放不下他吧。」

「只是有點好奇罷了，以為他走了就不回來了。」

「你何不直接私訊他？」

「應該不會啦，不知該說什麼。」

同學沒再慫恿我。我鬆了一口氣，但又隱約有點失落。

真的，只要發個私訊，想知的一切都能知道。

我是說，如果他願意告訴我的話。

畢竟，是他欠了我啊，是他叫我等他的。

而我，真的等過他，只是他不知道而已。

． ． ．

過了兩天，早上我在擠地鐵的時候，居然收到范昕彥的手機簡訊。

Hello，我是范昕彥。

然後看著他在打訊息，我心怦怦跳。

他是不是知道我問起過他？

Hello。我只是回了一句。

回來之前就想找你了，問了幾個舊同學才拿到你的電話。

他居然也曾打探我的消息！這讓我很震驚。

會打擾你嗎？

沒事，我在咖啡店吃早餐罷了。

我又撒了謊，幸好不是講電話，不然他就聽到地鐵上的聲音了。

今天有沒有空吃個午飯？

可以呀。

‧ ‧ ‧ ‧

　　我一直以為，很久沒見沒聯絡的兩人，在某年某月某日同時想起對方的機率是很低的。

　　一個人想起另一個人時，總覺得既然自己都想起他了，對方也想起自己很正常。

　　但事實是，當你有正在忙的事，有了新的生活圈子，新的人情世故，舊人根本就不會出現在腦裡。

　　如果有天忽然靜下來想起對方，而對方又想起你，我認為那就是最珍貴的瞬間，要分離的兩個人同一時間回首過去，也許比相遇時的交匯更需要緣份。

‧ ‧ ‧ ‧

　　「我本來還怕你不肯見我。」他在餐桌對面笑瞇瞇望著在看菜單的我。

　　「為什麼？」我笑著反問。

　　「畢竟是我一走了之。」

　　「不是你一走了之，是你的家人要移民，你只是遲遲不好意思開口告訴我，直至不得不走的一天。」

我曾經跟別人複述過這件事，那時候我以為自己放下了，釋懷了，但當他在我眼前，我才發現心仍然在痛。

「是的，是這樣。」他揉搓著放在桌上的雙手，欲言又止。

「不過那時候我們才十六歲，現在已經二十六了，如果還放在心上的話也太不長進了吧。」我像開玩笑似的說。

是的，但我真的不太長進。我還想再見到他，他一約我，我就出來了，也不敢讓男朋友知道。

「那時候我真的很沒用，就一句話而已，都拖了又拖。」

「男人都是這樣啊。」我故作成熟地說。

他以帶笑的眼睛凝望著我。「你男朋友也會這樣？」

「你已看了我臉書啦？」

「剛才等你來的時候看了一下，你們很登對。」

「他當然不會這樣啦，他要是會這樣我就不選他了，受了一次教訓還不夠嗎？」

「也對。」

然後我們天南地北聊起彼此的近況，他說他這些年都在唸工程，現在香港新建的人工島海底隧道入口段就是他工作的澳洲公司負責承造的，所以這次他回來是半公務半私人的性質。

我完全不懂這些，越聽越著迷。讓我著迷的當然不是工作的內容，而是他已經變得獨當一面、很可靠的樣子，在我心裡面，他還是十六歲時那個長不大的孩子。這十年，往哪裡去了？

　　「你呢？你怎樣？」他洗耳恭聽地靠近一點。

　　「在摩托車的代理行人事部工作，本來也正想要換工作，但老闆加我薪水，就多待半年看看吧，反正也沒有讓我非走不可的工作等我。」

　　「你會車嗎？還是摩托車？」

　　「不會呀。」我呼了口氣：「人生就是這樣，以前我們常常說夢想，彷彿天底下的工作都放在架子上一目了然，任君挑選，但現實卻是只能把求職信胡亂發一堆出去，誰知道哪間公司會對你感興趣？我又不像你，你是專業人士啊。」

　　他苦笑：「還有很多證照要考，每次考試前都想起我們以前唸書的時候。」

　　他正開始懷緬，我的手機屏幕亮起，是男朋友的簡訊，他沒有發現，我便用餐巾把手機遮了一下，等他說下去。

　　「那時候，我們明明可以保持聯絡的，但我打電話給你你不聽，你搬了家又不告訴我，害我暑假回來到你家吃閉門羹，當然臉書你也不肯加我好友，一想到你氣成那樣，就不敢找你了，只能一有機會就打聽你的事。」

「打聽我的事？」

「好像我們班上那個胖子郭成志你記得嗎？他來澳洲玩的時候，我就招待他，只求他告訴我一些你的消息就好，他好像跟幾個班上的女生挺熟的吧？那次他可把我吃窮了！什麼都問不到！」

我想像那場景，忍不住笑出來。「郭成志有什麼可能知道我的事？」

「只是覺得任何機會也不能放過嘛。」他笑笑：「直到知道你交了男朋友，就傷心得對自己說，夠了夠了，別再在意你的事了，你已經是別人的了。」

然後我們望著對方，心底湧現悲哀的情緒。

「難道你沒有女朋友嗎？」我啞聲問他。

「交過一兩個，不長久，我好像很怕讓女人失望，然後就覺得還是孤身一人自由自在好。」

這一刻，我想起自己聽到他說要移民，第二天一早就要飛，我哭著掌摑他的畫面——為什麼你不早點說？為什麼你不能要求留下來？你還騙我下個月陪我再去一次半月灣！

「你記不記得半月灣？」我忽然問。

「當然，我答應了你一起去的，第一次去的時候，真的好開心，可惜你媽又不讓我們露營過夜。」

「我們還想騙我媽誤了船期，回不來，先斬後奏。」我笑說。

「對，不過我們父母居然一起租船來把我們抓回去。」他也記得。

「那時候真的好天真。」

但我懷念那時候的天真。如果不是有那種天真，就不可能對一個人如此動心。

「那現在要不要去？」我忽然提議，我看了看手機上的時間：「再晚就沒船囉。」

他好像有話想問，大概是問「下午你不用上班嗎」，但他又看出了我眼中的決心，沒有問，只點點頭，揚手叫結帳。

「謝謝款待。」

「就讓我賺的錢請你吃一次好的，以前跟你吃麥當勞還要各付各的。」

● ● ●

「五點是最後一班船，記住啊。」在西貢碼頭上船時，船家對我們說。

碼頭貼著「全港最美海灘」的橫額。平日的下午，寒風凜冽的冬天淡季，船只載著我們兩個。有一種出走天涯的氣勢。

我的包包裡，被關靜音的手機不時傳來震動，我看也沒看。

我的心情有點興奮，遲了十年的約定，終於出發了。

「我們包船啊。」他也興奮得像個孩子。

船停定，他先下船扶我，半月形的海灘就在眼前，我們沒放開過手，牽手的感覺是那麼熟悉又自然。

或者在五點前，我們可以再做半天情侶，在這個無人的半月形海灘上。

「半月灣是這樣的嗎？記憶中，好像比較寬廣啊？」他說。

「是以前年紀小嗎？」

「還是水土流失？太可惜了。」

有些東西，經歷洗禮會更加美麗，可是有些東西，最美麗的狀態在過了頂峰後便開始衰敗。

我們在海灘上坐了許久，更感覺到我們都回不去那時候了。

他站起來玩過幾次打水漂，石子最多彈跳了五遍，才沉入海中。

「還未生疏呢！」他回頭笑說，好像想得到我的稱讚。

「還玩這個，老不老套？」我卻笑他。

他回來坐在我身邊。我們都赤著腳，把腳陷進白色的沙子裡。

我並沒有像我以為那樣，為他在旁而心動。

是開心的，但半天就夠了。

「你知道我看到你回來後，也到處問人你怎麼了嗎？」我終於說。

「真的嗎？」他好像很高興的樣子。

「嗯。」我點點頭，瞇著眼看他，日落的陽光有點刺眼。

「如果我不找你，你會找我嗎？」他問。

「不會，因為我有男朋友了。」

「呀，對。」他好像如夢初醒。

我的手機又在震動，我終於把它拿出來。

男友問我今晚去哪裡吃飯。因為我一直沒有回覆，也沒看簡訊，他顯得有些擔心。

於是我回他一句：剛才在開會，可能會加班，晚點再聯繫你。

他回以一個安心的笑容。

打訊息時，范昕彥一直在旁望著我。

有人在遠處呼喊，原來是船家泊定在碼頭了。

「最後一班船了，你們要走嗎？」開船的大嬸大聲問我們。

范昕彥望著我，彷彿在等我決定。

我站起來，拍拍褲子上的沙粒。他好像明白了什麼似地，失望地垂下眼簾，苦笑了一下，然後也站起來。

● ● ●

「你知道嗎？」回程浪急，我扶著船桅望著海說：「那時候其實只是想聽你對父母說，我們不回去！可是你連反抗都沒有。」

我的語氣是平淡的，但我記得那時候的失望。

他沒有說話。

「說要移民也是，我生氣的是，你為什麼不能說：我要留在這裡？就算明知道不可能，只要也為我爭取一次吧！不應該是這樣嗎？」我回頭，像笑自己孩子氣那樣問。

風吹亂他的髮，瀏海刺著他的眼睛。

「其實我有說過，不過什麼都改變不了，所以就沒告訴你。」

「真的？」我真心慶幸知道他有為我們爭取過。「那就好了。真希望告訴十年前的我。」

原來男人會覺得有成果才敢說，女人卻覺得只要你為我爭取過就好了。

船漸行漸遠，半月灣已消失在角閃石後面。

「如果來澳洲玩的話，要來看我啊，讓我帶你去玩。」道別的時候他說。

「好啊。」

「跟男朋友一起來也可以啊。」他補充一句。

「怎麼說我和你的關係啊？」

「就說是某個遠遠守護你的人，要是你被欺負了，隨時可以投靠的人。」他望進我眼睛說。

「那不是更糟嗎？」我笑了，雖然話很動聽。

我會不會真的去找他？

我不知道。

我們已經有各自的世界了，不是嗎？過去只能留在過去了。

在他目送下，我先轉身走，但後來我回了頭，看著他背影孤獨地走遠。

　　我發現我最為他心動的瞬間，是在打探他的消息的時候，是在得悉他也同時想起我的時候。

　　就那樣好了。

　　我願意相信他說的話，相信有個人在遠方守護著自己，不去驗證的承諾，就是最佳的承諾，不去滿足的心動，才是永遠的心動。

只為保持那段馳名的安全距離

維持呼之不一定來揮之

不必然去的心跳

否則會以為只是腦分泌

失常

引致的焦慮

以為你還能在哪裡

原來就住在我隔壁

想像你隨時可以過來

留下交往的痕跡

心痛時只能將回憶壓下去

當下我們別無選擇，只能遺忘

這並不是逃避，或否定生命的一部份、一章一節

而是不讓痛苦影響自己的方式

思念一個人時，我們以為思念不會有完結的一天

它像失控的藤蔓，自種子落地的一天

就攀附著你生命中的一切生長

以至它突然離開後每件事都像有個缺

但真正令人心碎的思念最終是會心死

因為人有迴避痛的本能

而那本能終歸會回來，在你稍稍清醒之後

如果只是偶然想一想，偶然心痛一下

或許，只是或許，你還是不願忘記那感情當中的美好

也許是對方的溫柔，也許是那個仍然相信愛情的自己

不敢下定決心忘記
因為害怕
建立回憶又將它忘記的徒勞

這不就是人生的徒勞嗎？

你我都知道，就算終究成功將你擠出心外
不是記不起
只是不去想

愛曾經給了我們活著一個理由

消逝時無可避免使生命失去目的
忘記和記住都是掌控生命的嘗試
就算不會成功，人也是要去經歷

看看自己可以掌控多少
你我的生命曾經重疊

人需要時間去悟出意義

後記‧一首散文詩　｜鄭梓靈

要決心忘記
我便記不起

enlighten 亮光
&fish 光

作　者	鄭梓靈 故事／林夕 詞・詩
社　長	林慶儀
編　輯	亮光文化編輯部
設　計	亮光文化設計部

出　版　香港商亮光文化有限公司 台灣分公司
　　　　Enlighten & Fish Ltd Taiwan Branch (HK)
地　址　新北市新莊區中原里中信街178號21樓-5
電　話　（886）2-8521-7577
傳　真　（886）8521-4177

總公司　亮光文化有限公司
　　　　Enlighten & Fish Ltd
地　址　香港新界火炭坳背灣街61-63號盈力工業中心5樓10室
電　話　（852）3621-0077
傳　真　（852）3621-0277
電　郵　info@enlightenfish.com.hk
網　址　www.enlightenfish.com.hk
Facebook　www.facebook.com/TWenlightenfish
　　　　　www.facebook.com/enlightenfish

法律顧問　鄭德燕律師
出版日期　二〇二〇年一月初版

定　價　新台幣330元／港幣88元

ISBN 978-988-8605-65-1（平裝）